PORTUGUÊS SEM FRONTEIRAS 1

AUTORES

Equipa de Professores de Português para estrangeiros
do CIAL — Centro de Línguas

Isabel Coimbra Leite
Filologia Germânica

Olga Mata Coimbra
Línguas e Literaturas Modernas

COORDENADOR LINGUÍSTICO E PEDAGÓGICO

António Manuel Correia Coimbra
Filologia Germânica

Lidel – edições técnicas, lda

LISBOA - PORTO - COIMBRA

http://www.lidel.pt (Lidel On-line)
e-mail: lidel.fca@mail.telepac.pt

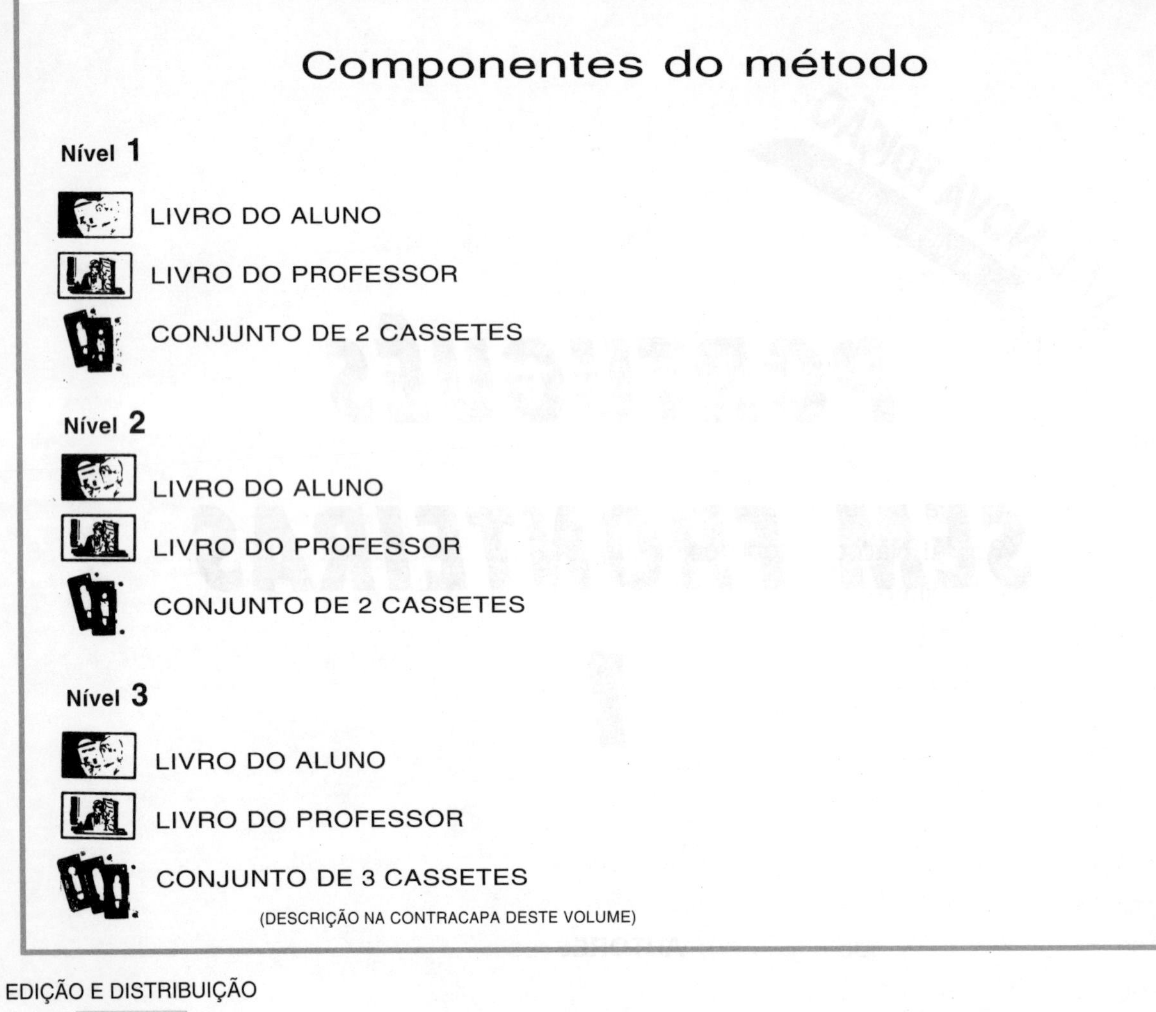

EDIÇÃO E DISTRIBUIÇÃO

LIDEL

Lidel – edições técnicas, lda

ESCRITÓRIO: Rua D. Estefânia, 183 r/c Dto. – 1049-057 Lisboa – Telefs. 21 351 14 42 (Ens. Línguas/Exportação); 21 351 14 46 (Marketing/Formação): 21 351 14 43 (Revenda): 21 351 14 47/9 (Linhas de Autores); 21 351 14 48 (S. Vendas Medicina); 21 351 14 45 (Mailing/Internet): 21 351 14 41 (Tesouraria/Periódicos) – Fax: 21 357 78 27 - 21 352 26 84

LIVRARIAS: LISBOA: Avenida Praia da Vitória, 14 - 1000-247 Lisboa – Telef. 21 354 14 18 – Fax 21 357 78 27
PORTO: Rua Damião de Góis, 452 – 4050-224 Porto – Telef. 22 509 79 95 – Fax 22 550 11 19
COIMBRA: Avenida Emídio Navarro, 11-2º – 3000-150 Coimbra – Telef. 239 82 24 86 – Fax 239 82 72 21

ILUSTRAÇÕES: Herlander Egídeo Sousa
CAPA: Maria Helena Annes Matos

Impressão e Acabamento: TIPOGRAFIA PERES, S.A

ISBN 972-9018-54-5

Dep. legal: 148100/00

Índice

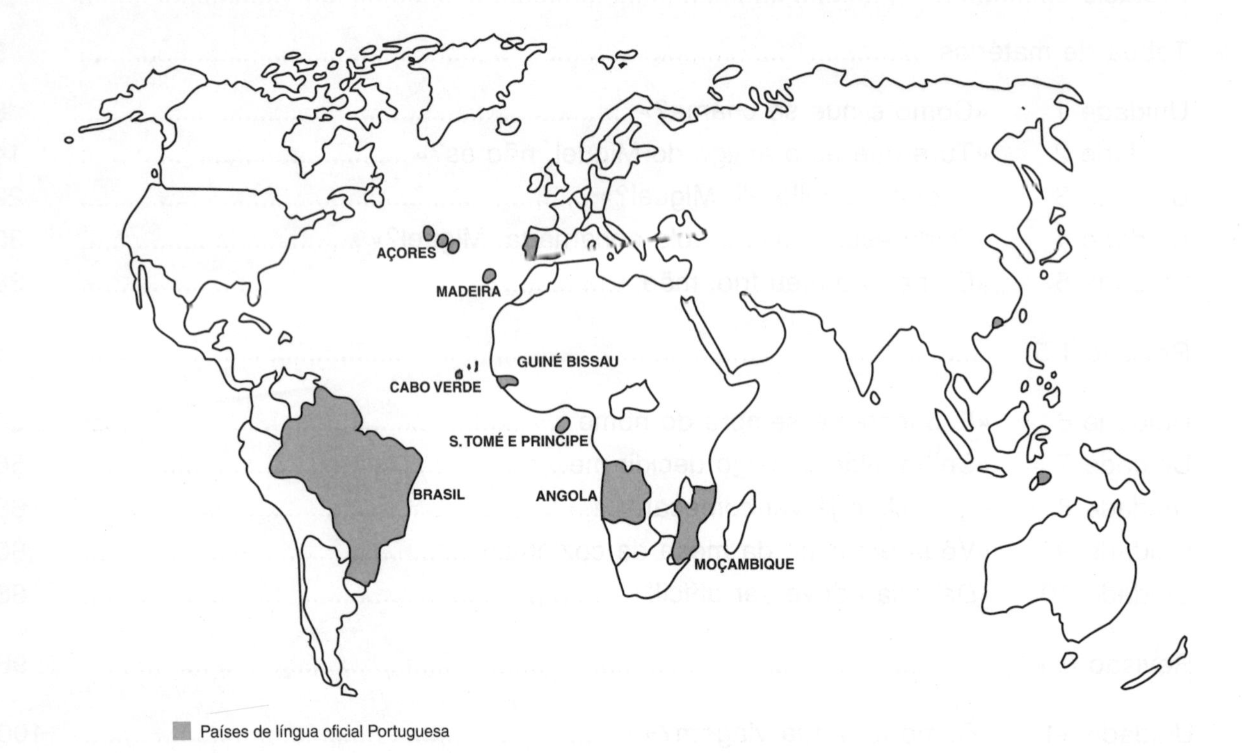

PREFÁCIO

Cinco anos após a 1.ª edição do PORTUGUÊS SEM FRONTEIRAS 1 e em sequência da larga aceitação que este mereceu tanto na Europa como nos E. U. A. e Canadá, sentiram as autoras a necessidade de reformular alguns aspectos didáctico-pedagógicos bem como actualizar temas lexicais no âmbito da realidade socio-económica portuguesa.

Deste modo, o livro que agora se edita é fruto de uma larga experiência da sua utilização efectiva na sala de aula, tendo as autoras tido em consideração as várias sugestões que tanto professores como leitores de diversas universidades amavelmente lhes fizeram e a quem, desde já, gostariam de expressar os mais sinceros agradecimentos.

As Autoras

Tábua de matérias

UNIDADE	Áreas Lexicais/Tópicos Vocabulares	Áreas Gramaticais/Estruturas
1	Apresentações (1) Nacionalidades (1) Profissões (1)	Afirmativas/Interrogativas/Negativas (1) Artigos definidos (1) Interrogativos (1) Presente do Indicativo (P.I.): ser (1); as formas «chamo-me»/«chama-se» Pronomes pessoais sujeito/Pronomes de tratamento (1)
2	Apresentações (2) Cumprimentos Família Nacionalidades (2)/Naturalidade Países/Cidades Profissões (2)	Afirmativas/Interrogativas/Negativas(2) Artigos definidos (2) Interrogativas de confirmação Interrogativos (2) Preposições (1) P.I.: ser (2) Pronomes pessoais sujeito/tratamento (2)
3	A escola (1) Dados pessoais Despedidas (1) Idade	Advérbios de lugar Artigos indefinidos Cardinais (1) Demonstrativos Interrogativos (3) P.I.: ter; regulares em -ar
4	A casa Cores Estações do ano (1)	Concordância do adjectivo com o substantivo Interrogativos (4) Possessivos Preposições (lugar) (2) P.I.: estar ser v. estar (1)
5	Comida/bebida (1) Datas Dias da semana Meses do ano Refeições	Advérbios de tempo (1) Cardinais (2) Conjugação perifrástica: estar a + infinitivo Interrogativos (5) P.I.: regulares em -er; a forma «há» P.I. v. conjugação perifrástica
6	Aniversário Comida/bebida (2) Épocas festivas Estações do ano (2) Horas	Advérbios de tempo (2) Conjugação pronominal reflexa Interrogativos (6) Preposições (tempo) (3) P.I.: irregulares em -er (1) Pronomes pessoais reflexos e sua colocação ser v. estar (2)

UNIDADE	Áreas Lexicais/Tópicos Vocabulares	Áreas Gramaticais/Estruturas
7	Compras (1) Dinheiro Vestuário	Cardinais (3) Interrogativos (7) Ordinais P.I.: irregulares em -er (2); regulares em -ir Pronomes pessoais complemento indirecto (1)
8	Cultura portuguesa (1) Movimentações (1) Tempos livres (1)	Conjugação perifrástica: ir + infinitivo Graus dos adjectivos/advérbios (1) Interrogativos (8) Preposições (4) P.I.: irregulares em -ir (1); verbos em -air
9	Comida/bebida (3) Compras (2) Dinheiro/trocos Estabelecimentos comerciais Unidades de peso	Advérbios de tempo (3) Imperativo (1) Indefinidos (1) P.I.: irregulares em -ar/irregulares em -er (3)
10	Escritório Marcações/reservas Meios de transporte Negócios (1) Telefone (1)	Imperativo (2) Preposições (5) Verbos auxiliares de modalidade
11	Desporto Negócios (2)	Advérbios de tempo (4) Graus dos adjectivos/advérbios (2) «Há» com expressões de tempo Pretérito Perfeito Simples do Indicativo (P.P.S.): ir; ser; estar; ter
12	Bancos Correios Preenchimento de impressos	P.I. v. P.P.S. P.P.S.: regulares em -ar
13	A saúde O corpo humano	Advérbios de quantidade Conjunções (1) Indefinidos (2) P.I.: verbos em -oer (3.ª pessoa) P.P.S.: regulares em -er e -ir; verbos em -air; irregulares em -er (1)
14	Cultura portuguesa (2) Telefone (2) Tempos livres (2)	Conjunções (2) P.P.S.: irregulares em -er (2) Pronomes pessoais complemento directo (1); circunstancial (1)

UNIDADE	Áreas Lexicais/Tópicos Vocabulares	Áreas Gramaticais/Estruturas
15	Cultura portuguesa (3) Regiões de Portugal Tempos livres (2)	Frases exclamativas Partícula apassivante P.P.S.: irregulares em -er (3) Revisões: P.P.S.
16	Movimentações (2) Tempos livres (4)	Conjugação perifrástica: haver de + infinitivo Interrogativos (9) Preposições (6) P.P.S.: irregulares em -ir Revisões: P.I.; P.P.S. Sinonímia
17	A escola (2) Biografia Cultura portuguesa (4)	P.P.S.: irregulares em -er (4); a forma «houve» Pronomes pessoais complemento directo (2); indirecto (2) Revisões: P.I.; P.P.S.
18	Tempos livres (5)	Imperativo (3) P.P.S.: irregulares em -ar Revisões: imperativo; P.P.S.
19	Tempos livres (6)	Conjunções (3) P.P.S.: irregulares em -er (5) Pronomes pessoais complemento directo (3) Revisões: P.P.S.; imperativo
20	Aeroporto Partida/regresso	P.P.S.: irregulares em -er (6) Pronomes pessoais complemento circunstancial (2) Revisões: P.I.; P.P.S.; preposições

Áreas gramaticais/Estruturas

Pronomes pessoais sujeito:	**eu, você, ele, ela**
As formas verbais:	**me chamo, se chama, chamo-me, chama-se / sou, é**
Artigos definidos (singular):	**o, a**

Advérbios:	**não, sim, também**
Conjunções:	**e, mas, ou**
Interrogativos:	**como, qual**
Preposições:	**de**

Diálogo

Steve: Bom dia. Eu chamo-me Steve Harris.
E você? Como é que se chama?

Marta: Chamo-me Marta Smith.

Steve: Eu sou estudante. E você?

Marta: Sou secretária.

Steve: Sou americano. Você também é americana?

Marta: Não, não sou americana. Sou portuguesa.

— Vamos lá falar!

Apresentação 1

Pergunta	Resposta
Como (é que eu) me chamo?	(Você) chama-se...
Como (é que você) se chama?	(Eu) chamo-me...
Como (é que ele/ela) se chama?	(Ele/ela) chama-se...

Oralidade 1

1. — Como se chama?
   — Chamo-me ______________________.
2. — Como é que você se chama?
   — Chamo-me ______________________.
3. — E você? Como se chama?
   — Chamo-me ______________________.
4. — Com é que ela se chama?
   — Chama-se ______________________.
5. — Como é que ele se chama?
   — Chama-se ______________________.
6. — Como é que eu me chamo?
   — Você chama-se ______________________.

Oralidade 2

Exemplo: Eu ***chamo-me*** José.

1. Eu ______________________ Teresa.
2. Você ______________________ Pedro.
3. Ela ______________________ Sofia.
4. Ele ______________________ João.
5. Eu ______________________ Carlos.
6. Você ______________________ Marta.

Oralidade 3

Exemplo:

— Ele chama-se Manuel.
— Como ***é que ele se chama***?

— Você chama-se Maria.
— Como ***é que eu me chamo***?

1. — Ela chama-se Rafaela.
   — Como ______________________?
2. — Você chama-se Pedro.
   — Como ______________________?

3. — Eu chamo-me Ana.
— Como ______________?

4. — Chama-se Marta.
— Como ______________?

5. — Chamo-me Carlos.
— Como ______________?

6. — Ele chama-se João.
— Como ______________?

Apresentação 2

Afirmativa	Negativa
(Eu) sou	(Eu) não sou
(Você / ele / ela) é	(Você / ele / ela) não é

Oralidade 4

1. Eu sou professora, não sou aluna.
2. Ele é aluno, não é professor.
3. Ela é advogada, não é economista.
4. Você é arquitecto, não é engenheiro.
5. Você é médica, não é enfermeira.
6. Você é tradutora, não é intérprete.

Oralidade 5

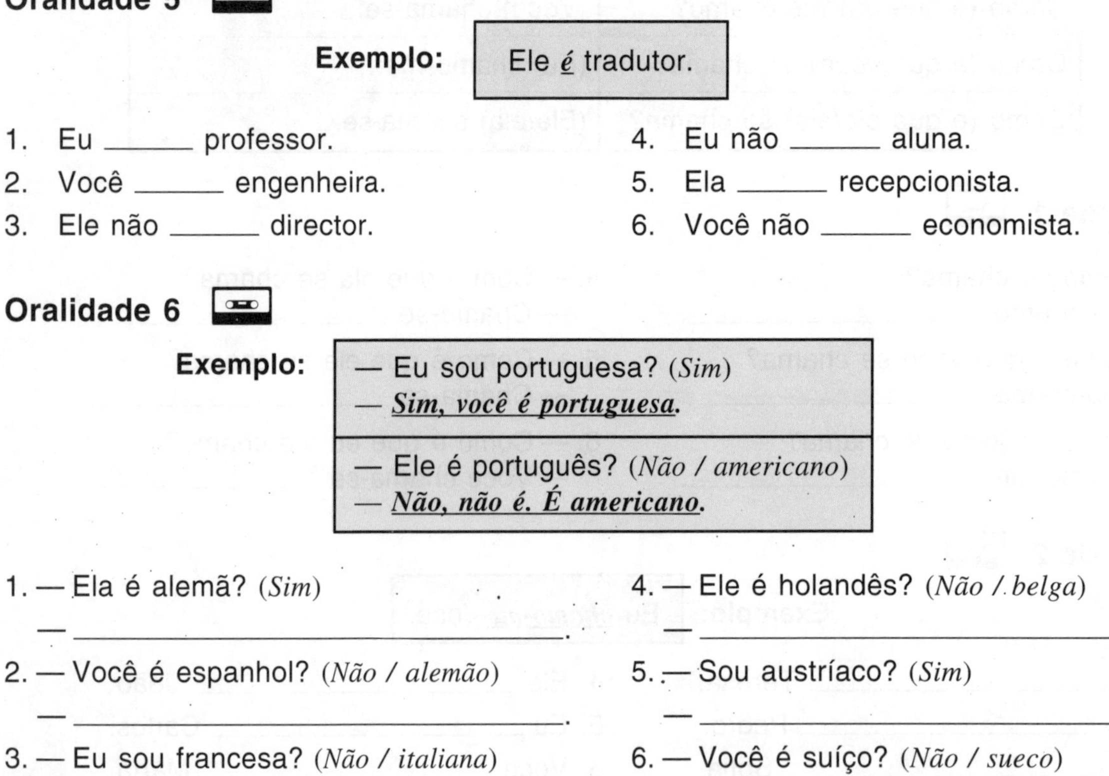

Exemplo: Ele _é_ tradutor.

1. Eu ______ professor.
2. Você ______ engenheira.
3. Ele não ______ director.
4. Eu não ______ aluna.
5. Ela ______ recepcionista.
6. Você não ______ economista.

Oralidade 6

Exemplo:

— Eu sou portuguesa? *(Sim)*
— ***Sim, você é portuguesa.***

— Ele é português? *(Não / americano)*
— ***Não, não é. É americano.***

1. — Ela é alemã? *(Sim)*
— ______________.

2. — Você é espanhol? *(Não / alemão)*
— ______________.

3. — Eu sou francesa? *(Não / italiana)*
— ______________.

4. — Ele é holandês? *(Não / belga)*
— ______________.

5. — Sou austríaco? *(Sim)*
— ______________.

6. — Você é suíço? *(Não / sueco)*
— ______________.

Apresentação 3

Artigos definidos	
singular	
masculino	feminino
o	**a**

Oralidade 7

1. ____ Pedro é português, mas ____ Susan é inglesa.
2. ____ professor chama-se Manuel.
3. ____ Sabine é alemã e ____ Hans também é alemão.
4. ____ João é engenheiro e ____ Marta é secretária.
5. ____ recepcionista chama-se Teresa.

Texto

Boa tarde. Chamo-me Madalena, sou portuguesa e sou professora. O Kurt também é professor, mas não é português, é alemão.

E a Karin? Qual é a nacionalidade e a profissão da Karin? Ela é alemã e é tradutora.

A Rafaela é italiana ou espanhola? É italiana.

E o Juan? Também é italiano? Não, é espanhol.

Qual é a profissão da Rafaela e do Juan? Ela é intérprete e ele é economista.

— Vamos lá escrever!

Compreensão

1. Como é que se chama a professora?

____

2. Qual é a nacionalidade do Kurt?

____

3. O Kurt é aluno ou professor?

____

4. A Rafaela é italiana. E o Juan também é?

____

5. Qual é a profissão da Rafaela e do Juan?

____

Escrita 1

Exemplo:

A / Kurt / e / é / alemã / Karin / o / alemão / é /.
A Karin é alemã e o Kurt é alemão.

1. O / Rafaela / intérprete / é / mas / João / é / a / engenheiro /.
____
2. Qual / a / é / do / nacionalidade / Kurt /?
____
3. Eu / professora / e / sou / portuguesa / sou /.
____
4. Como / se chama / é que / recepcionista / a /?
____
5. Você / engenheiro / é / arquitecto / ou /?
____

Escrita 2

Complete com:

chama-se / se chama / sou / é / é que / eu / ele / ela / ou / mas / qual / a / nacionalidade / profissão / não / português/ aluno

1. Ela ____________ Carmen e ____________ espanhola.
2. E ele? Como ____________ ele ____________?
3. ____________ chama-se José e é ____________.
4. ____________ Carmen ____________ professora ____________ aluna?
5. ____________ é professora, ____________ ele é ____________.
6. E você? ____________chamo-me Pedro e ____________tradutor.
7. E ____________ é a ____________ da Paula? Ela ____________ médica?
8. ____________, é enfermeira.
9. Qual ____________ a ____________ e a ____________ do Roberto?
10. Ele____________ brasileiro e ____________ médico.

Escrita 3

NOME	PAÍS	NACIONALIDADE	LÍNGUA	PROFISSÃO
Steve	E.U.A.	*americano*	*inglês*	*estudante*
Helga	Suécia		sueco	estudante
Yoko	Japão	japonesa		arquitecta
Teresa	Portugal			
Carmen	Espanha			
Natasha	Rússia	russa		enfermeira
Karin	Alemanha			
Jacques	Bélgica	belga		economista
Rafaela	Itália			

NOME	PAÍS	NACIONALIDADE	LÍNGUA	PROFISSÃO
Jacqueline	França			advogada
Roberto	Brasil			
Susan	Inglaterra			secretária
Hans	Áustria			engenheiro
Francesca	Suíça		italiano	médica
Brigitte	Holanda			tradutora

Sumário

Objectivos funcionais

Cumprimentar:	«Bom dia.» «Boa tarde.»
Dar ênfase:	«Como é que se chama?»
Dar informações pessoais:	«Chamo-me Madalena.» «Sou professora.» «Sou portuguesa.»
Pedir informações pessoais:	«Como é que se chama?» «Qual é a profissão da Paula?» «Qual é a nacionalidade do Kurt?»

Vocabulário

Substantivos e adjectivos:

o advogado
a Alemanha
alemão (adj.)
o aluno
americano (adj.)
o arquitecto
a Áustria
austríaco (adj.)
a Bélgica
belga (adj.)
o Brasil
brasileiro (adj.)
o director
o economista
o enfermeiro
o engenheiro
a Espanha
espanhol (adj.)
o estudante
os Estados Unidos da América (E.U.A.)
a França
francês (adj.)
a Holanda
holandês (adj.)
a Inglaterra
inglês (adj.)
o intérprete
a Itália
italiano (adj.)
o Japão
japonês (adj.)
a língua
o médico
a nacionalidade
o país
Portugal
português (adj.)
o professor
a profissão
o recepcionista
a Rússia
russo (adj.)
a secretária
a Suécia
sueco (adj.)
a Suíça
suíço (adj.)
o tradutor

Expressões:

Boa tarde.	Bom dia.	...é que...	

Verbos:

chamar-se	ser		

UNIDADE 2

«Tu é que és o amigo do Miguel, não és?»

Áreas gramaticais/Estruturas

Pronomes pessoais sujeito: **eu, tu, você, ele, ela, nós, vocês, eles, elas**

Presente do indicativo: **ser**

Interrogativas de confirmação

Artigos definidos (plural): **os, as**

Tratamento formal e informal: **tu, você(s), o(s) senhor(es), a(s) senhora(s)**

Advérbios:	**bem, pois**
Demonstrativos:	**esta, este(s)**
Indefinidos:	**todos**
Interjeições:	**olá!**
Interrogativos:	**de onde, onde, quantos, quem**
Possessivos:	**meu(s), minha**
Preposições:	**em**

Diálogo

Miguel: Desculpe. Você é o Steve Harris?

Steve: Sim sou. Sou o Steve Harris.
És o Miguel Santos?

Miguel: Sou, sim. Como estás?

Steve: Bem, obrigado.

Miguel: Estes são os meus pais.

Steve: Muito prazer. Como estão os senhores?

Sr. Santos: Bem obrigado.

D. Ana: Muito gosto, Steve. Bem-vindo a Lisboa.

Miguel: Esta é a minha irmã Sofia.

Sofia: Como está, Steve?

Miguel: E este é o meu irmão Rui.

Rui: Olá! Tu é que és o amigo do Miguel, não és?

— Vamos lá falar!

Apresentação 1

<table>
<tr><th>Pronomes pessoais</th><th colspan="2">Presente do indicativo
Verbo ser</th></tr>
<tr><th>sujeito</th><th>afirmativa</th><th>negativa</th></tr>
<tr><td>eu</td><td>sou</td><td>não sou</td></tr>
<tr><td>tu</td><td>és</td><td>não és</td></tr>
<tr><td>você</td><td rowspan="2">é</td><td rowspan="2">não é</td></tr>
<tr><td>ele, ela</td></tr>
<tr><td>nós</td><td>somos</td><td>não somos</td></tr>
<tr><td>vocês</td><td rowspan="2">são</td><td rowspan="2">não são</td></tr>
<tr><td>eles, elas</td></tr>
</table>

Oralidade 1

1. Eu sou
2. Tu és
3. Você é
4. Ele é
5. Ela é
6. Nós somos
7. Vocês são
8. Eles são
9. Elas são

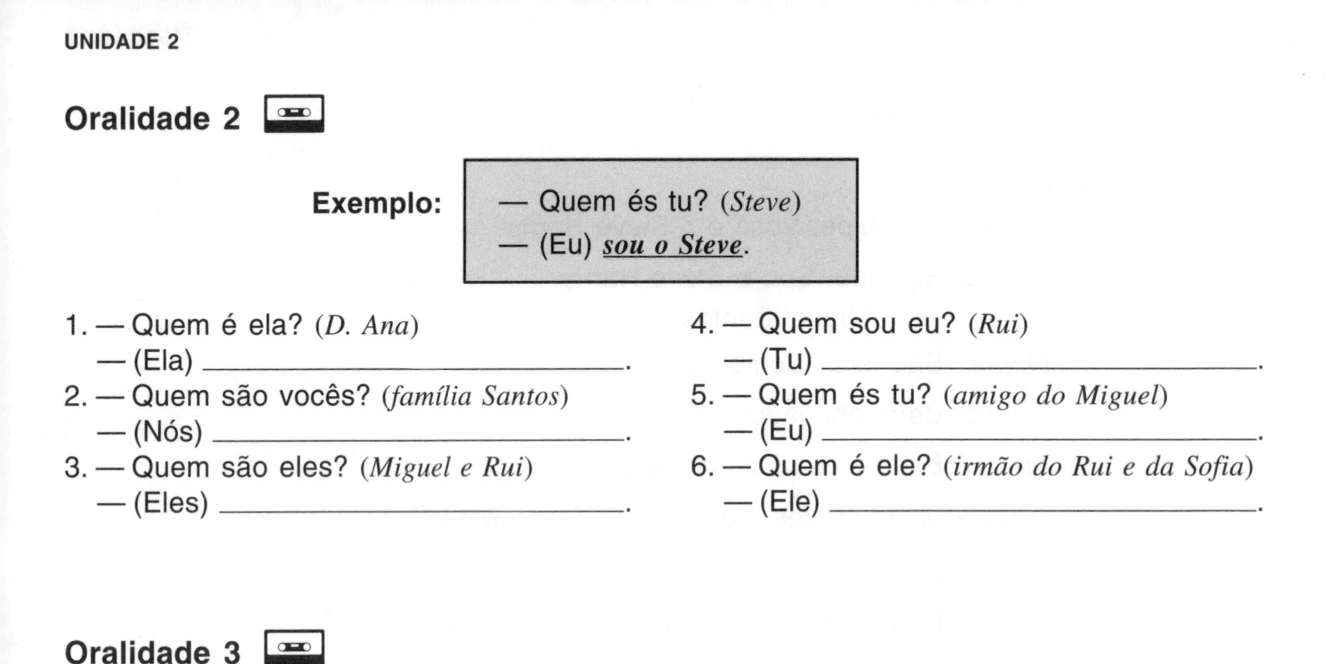

Oralidade 2

Exemplo:

— Quem és tu? (*Steve*)
— (Eu) ***sou o Steve***.

1. — Quem é ela? (*D. Ana*)
— (Ela) ______________________.
2. — Quem são vocês? (*família Santos*)
— (Nós) ______________________.
3. — Quem são eles? (*Miguel e Rui*)
— (Eles) ______________________.
4. — Quem sou eu? (*Rui*)
— (Tu) ______________________.
5. — Quem és tu? (*amigo do Miguel*)
— (Eu) ______________________.
6. — Quem é ele? (*irmão do Rui e da Sofia*)
— (Ele) ______________________.

Oralidade 3

Exemplo:

— O Steve é o amigo do Miguel? (*Sim*)
— ***Sim, é.***

— O Rui é o pai da Sofia? (*Não / irmão*)
— ***Não, não é. É o irmão da Sofia.***

1. — O Sr. Santos e a D. Ana são portugueses? (*Sim*)
— ______________________.
2. — Vocês são americanos? (*Não / portugueses*)
— ______________________.
3. — O Steve e o Miguel são irmãos? (*Não / amigos*)
— ______________________.
4. — O Rui e a Sofia são irmãos? (*Sim*)
— ______________________.
5. — Rui, és professor? (*Não / aluno*)
— ______________________.

Apresentação 2

Interrogativas de confirmação	
Afirmativa	Negativa
Eu **sou** aluno, **não sou?**	Eu **não** sou professor, **pois não?**
Tu **és** aluno, **não és?**	Tu **não** és professor, **pois não?**
Você **é** aluno, **não é?**	Você **não** é professor, **pois não?**
Ele **é** aluno, **não é?**	Ele **não** é professor, **pois não?**
Ela **é** aluna, **não é?**	Ela **não** é professora, **pois não?**
Nós **somos** alunos, **não somos?**	Nós **não** somos professores, **pois não?**
Vocês **são** alunos, **não são?**	Vocês **não** são professores, **pois não?**
Eles **são** alunos, **não são?**	Eles **não** são professores, **pois não?**
Elas **são** alunas, **não são?**	Elas **não** são professoras, **pois não?**

Oralidade 4

Exemplo:

— A Marta é secretária, ***não é?***
— ***É, é.***
— A Sofia não é irmã do Steve, ***pois não?***
— ***Não, não.***

1. — O Steve é americano, ____________?
— ____________, ____________.
2. — O Miguel e o Rui não são franceses, ____________?
— ____________, ____________.
3. — Somos alunos de português, ____________?
— ____________, ____________.
4. — Sou professora, ____________?
— ____________, ____________.
5. — Não és economista, ____________?
— ____________, ____________.
6. — A Sofia é portuguesa, ____________?
— ____________, ____________.
7. — És amigo do Steve, ____________?
— ____________, ____________.
8. — O Rui é irmão do Miguel, ____________?
— ____________, ____________.
9. — Não sou inglesa, ____________?
— ____________, ____________.
10. — Vocês são amigos, ____________?
— ____________, ____________.

Apresentação 3

	Artigos definidos	
	masculino	feminino
singular	**o**	**a**
plural	**os**	**as**

Oralidade 5

1. ______ irmã do Miguel chama-se Sofia.
2. ______ Sr. e ______ Sra. Santos são ______ pais do Miguel.
3. Elas são ______ amigas da Sofia.
4. ______ D. Ana é ______ mãe dos amigos do Steve.
5. ______ Sr. Santos é ______ pai do Miguel.

Apresentação 4

	Tratamento	
	formal	informal
singular	**você** (–) **o senhor** (+) **a senhora** (+)	**tu**
plural	**os senhores** **as senhoras**	**vocês**

Oralidade 6

1. *Steve:* ______________ é o pai do Miguel? (*+formal*)
   Sr. Santos: Sim, sou.
2. *Steve:* ______________ são os irmãos da Sofia? (*informal*)
   Miguel e Rui: Sim, somos.
3. *D. Ana:* ______________ é americano, Steve? (*–formal*)
   Steve: Sou, sim.
4. *Rui:* ______________ és o amigo do Miguel, não és? (*informal*)
   Steve: Sou, pois.
5. *Steve:* Como estão ______________? (*+formal*)
   Sr. Santos e D. Ana: Bem, obrigado.

Texto

Miguel: De onde és, Steve?

Steve: Sou de Boston, nos Estados Unidos da América. E vocês?

Miguel: Eu, os meus pais e os meus dois irmãos somos de Lisboa. Os meus avós são do Rio de Janeiro, no Brasil. A minha avó é professora de português e o meu avô é o director da escola de línguas no Rio de Janeiro. A tia Celeste, irmã da minha mãe, é médica no hospital de Faro e o marido, o tio Fernando, é piloto da TAP. Os meus três primos são todos do Algarve.

— Vamos lá escrever!

Compreensão

1. De onde são os avós do Miguel?

2. Quem é professora de português na escola de línguas?

3. Onde é o Rio de Janeiro?

4. Qual é o nome do tio do Miguel?

5. Como é que a tia se chama?

6. Quantos são os primos do Miguel?

Escrita 1

Exemplo: amigos/e/tu/são/Steve/o/são/não/?
Tu e o Steve são amigos, não são?

1. Harris/a/não/família/é/Portugal/de/pois/não/?

2. Celeste/a/médica/tia/é/hospital/no/Faro/de/.

3. Steve/é/onde/de/o/?

4. do/primos/não/os/Miguel/do/são/Algarve/são/?

5. pais/são/os/de/Miguel/Lisboa/do/.

Escrita 2

A

Steve: ______________________________?
Miguel: Nós somos todos de Lisboa. E tu?
Steve: ______________________________.
Rui: Onde é Boston?
Steve: ______________________________.

B

D. Ana: Olá, Steve! Como estás?
Steve: ______________. ______________?
D. Ana: Muito bem, obrigada.
Steve: ______________________________?
D. Ana: O Sr. Santos é director comercial. E tu, Steve?
Steve: ______________________________.

C

Steve: Boa noite. Eu sou o Steve Harris.
Dra. Celeste: ______________. ______________?
Steve: Sou sim. Sou amigo do Miguel.
______________________________, não é?
Dra. Celeste: Sim, sou a tia do Miguel e também do Rui e da Sofia.
Steve: A senhora é médica, não é? Onde?
Dra. Celeste: ______________________________.

Sumário

Objectivos funcionais

Apresentar alguém	«Estes são os meus pais.»
Apresentar-se	«Eu sou o Steve Harris.»
Chamar a atenção	«Desculpe.»
Confirmar, perguntando	«Tu é que és o amigo do Miguel, não és?» «O Miguel e o Rui não são franceses, pois não?»

Cumprimentar alguém	«Olá!» «Como estás?» «Como está?» «Como estão?» «Boa noite.»
Dar confirmação	«Sim, sou.» «Sou, sim.» «Não, não.» «Sou, sou.» «Não, não sou.» «Sou, pois.» «Não sou, não.»
Dar informações pessoais	«Sou de Boston.»
Dirigir-se a alguém de modo { formal / informal	«O senhor é o pai do Miguel?» «Tu és o amigo do Miguel?»
Falar da localização geográfica	«Onde é Boston?» «É nos E.U.A.»
Identificar alguém	«Ele é o irmão do Rui e da Sofia.»
Pedir informações pessoais	«De onde és, Steve?»
Responder a apresentações	«Muito gosto.» «Muito prazer.»
Responder a cumprimentos	«Muito bem, obrigado.» «Bem, obrigado.»
Solicitar a identidade de alguém	«Quem é ele?»

Vocabulário

Substantivos, adjectivos e numerais:

o Algarve o amigo a avó o avô os avós Boston comercial (adj.) dois	a Dona (D.) a doutora (Dra.) a escola a família Faro o hospital o irmão Lisboa	a mãe o marido a noite o nome o pai o piloto o primo	o Rio de janeiro a senhora (Sra.) o senhor (Sr.) a TAP (Transportes Aéreos Portugueses) o tio três

Expressões:

Boa noite. Bem, obrigado. Bem-vindo a ...	Como { estás? / está? / estão?	Desculpe. Muito bem, obrigado.	Muito gosto. Muito prazer.

Verbos:

ser { (de) / (em)			

Áreas gramaticais/Estruturas

Cardinais:	**1 a 20**
Artigos indefinidos (singular):	**um, uma**
Presente do indicativo:	**ter, verbos regulares em -ar (1.ª conjugação)**
Demonstrativos invariáveis:	**isto, isso, aquilo**
Advérbios de lugar:	**aqui, aí, ali**
Demonstrativos variáveis:	**este(s), esta(s), esse(s), essa(s), aquele(s), aquela(s)**

Advérbios:	**já, lá, mais, muito, onde**
Conjunções:	**porque**
Indefinidos:	**muitos**
Interrogativos:	**o que, porque, que**
Preposições:	**para**

Diálogo

Steve: O que é aquilo ali, Miguel?
Miguel: Aquilo é a escola onde estudamos.
Paulo: Olá, Miguel!
Miguel: Olá! Este é o meu amigo americano, o Steve Harris.
Paulo: Olá, Steve! Falas português?
Steve: Um bocadinho. Ando numa escola de português para estrangeiros.
Paulo: E tens muitos colegas?
Steve: Tenho. Na minha aula somos quinze.
Miguel: Bom. Vamos, Steve? Até amanhã, Paulo.
Paulo: Até amanhã, Miguel. Adeus, Steve.
Steve: Adeus.

— Vamos lá falar!

Apresentação 1

Cardinais	
1 — **um/uma**	11 — **onze**
2 — **dois/duas**	12 — **doze**
3 — **três**	13 — **treze**
4 — **quatro**	14 — **catorze**
5 — **cinco**	15 — **quinze**
6 — **seis**	16 — **dezasseis**
7 — **sete**	17 — **dezassete**
8 — **oito**	18 — **dezoito**
9 — **nove**	19 — **dezanove**
10 — **dez**	20 — **vinte**

Oralidade 1

15 17 10 13 4 6 1 9 12 3
2 20 5 7 19 14 18 16 8 11

Apresentação 2

Artigos indefinidos	
singular	
masculino	feminino
um	**uma**

Oralidade 2

1. ______ livro
2. ______ caneta
3. ______ dicionário
4. ______ lápis
5. ______ borracha
6. ______ caderno
7. ______ régua
8. ______ pasta
9. ______ quadro
10. ______ mesa
11. ______ escola
12. ______ aluno
13. ______ aula
14. ______ professor
15. ______ cadeira

Apresentação 3

Presente do indicativo	
Verbo **ter**	
(eu)	**tenho**
(tu)	**tens**
(você, ele, ela)	**tem**
(nós)	**temos**
(vocês, eles, elas)	**têm**

Oralidade 3

1. Eu tenho
2. Tu tens
3. Você tem
4. Ele tem
5. Ela tem
6. Nos temos
7. Vocês têm
8. Eles têm
9. Elas têm

Oralidade 4

Exemplo:

— Tens uma caneta, Miguel? (*Não / Sofia*)
— ***Não, não tenho, mas a Sofia tem.***

— Vocês têm irmãos? (*Sim / quatro*)
— ***Sim, temos. Temos quatro irmãos.***

1. — O Steve tem um apartamento em Lisboa? (*Não / nós*)
— ____.
2. — O Sr. e a Sra. Santos têm filhos? (*Sim / três*)
— ____.
3. — Tens uma bicicleta? (*Não / Rui*)
— ____.
4. — Paulo, tens irmãos? (*Sim / dois*)
— ____.

5. — Vocês têm um dicionário? (*Não / elas*)

— ____.

6. — Miguel, tens irmãs? (*Sim / uma*)

— ____.

7. — Você tem uma borracha? (*Não / ela*)

— ____.

Apresentação 4

Pronomes demonstrativos invariáveis	Advérbios de lugar
isto	**aqui**
isso	**aí**
aquilo	**ali**

A

Oralidade 5

Exemplo:

— O que é isso aí? (*lápis*)
— ***Isto aqui é um lápis***.

— O que é aquilo ali? (*mesas*)
— ***Aquilo ali são mesas***.

1. — O que é aquilo ali? (*pasta*)

— ____________________.

2. — O que é isso aí? (*livros*)

— ____________________.

3. — O que é isto aqui? (*borracha*)

— ____________________.

4. — O que é aquilo ali? (*dicionário*)

— ____________________.

5. — O que é isto aqui? (*cadeiras*)

— ____________________.

6. — O que é isso aí? (*régua*)

— ____________________.

B

Pronomes demonstrativos variáveis				
singular		plural		
masculino	feminino	masculino	feminino	
este	**esta**	**estes**	**estas**	(aqui)
esse	**essa**	**esses**	**essas**	(aí)
aquele	**aquela**	**aqueles**	**aquelas**	(ali)

Oralidade 6

1. _______ lápis aqui é do Miguel.
2. _______ borracha ali é da Sofia.
3. _______ livros aí são do meu amigo Steve.
4. _______ jornal ali é do Sr. Santos.
5. _______ canetas aqui são do Rui.
6. _______ cadernos aí são do Paulo.

Oralidade 7

Exemplo:

— O que é isto aqui? (*lápis / Rui*) — ***Isso é um lápis. Esse lápis é do Rui.***
— O que é aquilo? (*livros / alunos*) — ***Aquilo são livros. Aqueles livros são dos alunos.***

1. — O que é isso aí? (*caneta / professor*)
   — ________________________________.
2. — O que é aquilo? (*dicionários / Steve*)
   — ________________________________.
3. — O que é isto? (*cadernos / minha irmã*)
   — ________________________________.
4. — O que é isso? (*jornal / pai da Sofia*)
   — ________________________________.
5. — O que é isto? (*revistas / D. Ana*)
   — ________________________________.
6. — O que é aquilo? (*borracha / Miguel*)
   — ________________________________.

Apresentação 5

Presente do indicativo		
Verbos regulares em **-ar**		
(eu)	and	**o**
(tu)	estud	**as**
(você, ele, ela)	fal	**a**
(nós)	jog	**amos**
(vocês, eles, elas)	trabalh	**am**

Oralidade 8

1. Eu **falo** alemão.
2. Tu **estudas** matemática.
3. Você **joga** ténis.
4. Ele **anda** na Universidade.
5. Ela **trabalha** no Porto.
6. Nós **moramos** em Lisboa.
7. Vocês **trabalham** em Faro.
8. Eles **jogam** futebol.
9. Elas **estudam** línguas.

Oralidade 9

1. — Vocês falam inglês?
   — Claro! ________ muito bem.
2. — O Sr. e a Sra. Santos trabalham no Porto?
   — Não, ________ em Lisboa.
3. — Estudas português, Steve?
   — Sim, ________ numa escola de línguas.
4. — O Rui joga ténis?
   — Não, ________ futebol.
5. — O Sr. e a Sra. Harris moram em Lisboa?
   — Não, ________ em Boston.
6. — O senhor fuma?
   — Não, não ________ .
7. — Tu também andas na escola do Steve?
   — Sim, também ________ lá.
8. — Os pais do Steve trabalham?
   — O pai ________, mas a mãe não.
9. — O Steve gosta da família Santos?
   — Claro! ________ muito.
10. — Onde é que você mora?
    — ________ em Lisboa.

Texto

A família Santos mora em Lisboa. O Sr. Santos trabalha numa empresa e a D. Ana é empregada num escritório. Os filhos — o Miguel, a Sofia e o Rui — andam todos na escola: o Miguel tem 18 anos, a Sofia 17 e o Rui tem 12 anos.

O Miguel estuda Ciências, mas a Sofia não. Ela gosta mais de línguas e já fala inglês, francês e alemão. E o Rui? Gosta da escola? Gosta, porque tem lá muitos amigos, mas não estuda muito. Gosta mais de futebol e já joga muito bem.

— Vamos lá escrever!

Compreensão

1. Onde mora a família Santos?

____

2. Onde é que a D. Ana trabalha?

____

3. Que idade é que os filhos têm?

____

4. O que é que o Miguel e a Sofia estudam?

____

5. Porque é que o Rui gosta da escola?

____

Escrita 1

A + B + C

A	B	C
1. ***O amigo do Miguel***	falar	bem inglês, francês e alemão.
2. O Sr. e a Sra. Santos	estudar	futebol na escola.
3. Eu e os meus amigos	ser	na escola do Miguel.
4. O Paulo	jogar	empregada num escritório, D. Ana?
5. A Sofia já	morar	três filhos: o Miguel, a Sofia e o Rui.
6. A senhora	***chamar-se***	num hospital em Faro.
7. O Steve	trabalhar	no Algarve.
8. Os primos do Rui	andar	em Boston, pois não?
9. A Dra. Celeste	ter	muito de Portugal.
10. Sofia, tu não	gostar	***Steve Harris.***

1. ***O amigo do Miguel*** **chama-se** ***Steve Harris.***
2. ______________________________
3. ______________________________
4. ______________________________
5. ______________________________
6. ______________________________
7. ______________________________
8. ______________________________
9. ______________________________
10. ______________________________

Sumário

Objectivos funcionais

Contar de 1 a 20	
Dar informações sobre alguém	«A D. Ana é empregada num escritório.»
Despedir-se de alguém	«Até amanhã.» «Adeus.»
Identificar coisas	«Aquilo é a escola onde estudamos.»
Pedir a identificação de coisas	«O que é aquilo ali, Miguel?»
Pedir informações sobre alguém	«Onde mora a família Santos?»
Perguntar / Dizer } a idade	«Que idade é que os filhos deles têm?» «O Miguel tem 18 anos, a Sofia 17 e o Rui tem 12 anos.»

Vocabulário

Substantivos, adjectivos e numerais:

o apartamento	dezasseis	a idade	quinze
a aula	dezassete	o jornal	a régua
a bicicleta	dezoito	o lápis	a revista
a borracha	o dicionário	o livro	seis
a cadeira	dois	a Matemática	sete
o caderno	doze	a mesa	o ténis
a caneta	duas	nove	três
catorze	o empregado	oito	treze
as Ciências	a empresa	onze	um
cinco	o escritório	a pasta	uma
o colega	o estrangeiro	o Porto	a Universidade
dez	o filho	o quadro	vinte
dezanove	o futebol	quatro	

Expressões:

Adeus. Até amanhã.	Bom. Claro! Que idade...?	ter { anos / idade	Um bocadinho. Vamos?

Verbos:

andar estudar falar	fumar gostar (de)	jogar morar	ter trabalhar

UNIDADE 4

«Onde está a minha bola encarnada, Miguel?»

Áreas gramaticais/Estruturas

Presente do indicativo:	**estar**
Preposições e locuções prepositivas:	**em, entre, dentro de, em cima de, atrás de, debaixo de, em frente de, ao lado de**
Possessivos:	**meu(s), minha(s), teu(s), tua(s), seu(s), sua(s), nosso(s), nossa(s), vosso(s), vossa(s), dele(s), dela(s)**

Advérbios:	**agora, então, hoje, logo, ora, pouco, só**
Demonstrativos:	**a**
Interjeições:	**ó!**
Interrogativos:	**de que, de quem**
Locuções adverbiais:	**ao lado, em frente, se calhar**
Preposições:	**até**

Diálogo

Rui: Onde está a minha bola encarnada, Miguel?
Miguel: A tua bola? Se calhar está no teu quarto, debaixo da cama ou dentro do armário.
Sofia: Ó Miguel! Onde está a minha raqueta de ténis?
Miguel: Está em cima da cadeira, na sala de estar.
Sofia: Ora, esta raqueta branca não é minha. É do Steve.
Miguel: Tens razão. Mas ele hoje não tem ténis.
Sofia: Então levo a dele. Até logo!
Miguel: Até logo!

— Vamos lá falar!

Apresentação 1

Presente do indicativo	
Verbo **estar**	
(eu)	**estou**
(tu)	**estás**
(você, ele, ela)	**está**
(nós)	**estamos**
(vocês, eles, elas)	**estão**

Oralidade 1

1. Eu estou
2. Tu estás
3. Você está
4. Ele está
5. Ela está
6. Nós estamos
7. Vocês estão
8. Eles estão
9. Elas estão

Oralidade 2

Exemplo: A raqueta da Sofia ***está*** na sala.

1. A bola do Rui _______ no quarto.
2. As canetas _______ na mesa.
3. Eu e os meus amigos _______ em casa.
4. — Miguel, onde é que tu _______?
5. — _______ aqui, na sala.
6. O Steve _______ na escola.

Apresentação 2

As cores			
singular		plural	
masculino	feminino	masculino	feminino
amarelo	**amarela**	**amarelos**	**amarelas**
branco	**branca**	**brancos**	**brancas**
castanho	**castanha**	**castanhos**	**castanhas**
cinzento	**cinzenta**	**cinzentos**	**cinzentas**
preto	**preta**	**pretos**	**pretas**
vermelho	**vermelha**	**vermelhos**	**vermelhas**
encarnado	**encarnada**	**encarnados**	**encarnadas**
azul		**azuis**	
verde		**verdes**	
cor-de-laranja			
cor-de-rosa			

Oralidade 3

1. Num dia de sol o céu está ______________.
2. No Outono as folhas são ______________ e no Verão são ______________.
3. Num dia de chuva o céu está ______________.
4. A neve é ______________.
5. A bandeira de Portugal é ______________ e ______________.
6. O sangue é ______________.
7. O carvão é ______________.

Apresentação 3

Preposições e locuções prepositivas
em/dentro de
em/em cima de
atrás de
debaixo de
em frente de
ao lado de
entre

Oralidade 4

1. Estaciono o meu carro ________ ________ ________ casa.
2. A escola é ________ ________ ________ Correios.

3. O supermercado fica ________ o banco e a farmácia.
4. A pasta do Steve está ________ ________ ________ mesa.
5. A família Santos mora ________ apartamento ________ Lisboa.
6. A bola do Rui está ________ ________ cama e não ________ ________ armário.
7. O quadro está ________ ________ professora.

Apresentação 4

A

	Possessivos			
	singular		plural	
Possuidor	masculino	feminino	masculino	feminino
eu	o **meu** livro	a **minha** pasta	os **meus** livros	as **minhas** pastas
tu	o **teu** amigo	a **tua** amiga	os **teus** amigos	as **tuas** amigas
você o Senhor a Senhora	o **seu**...	a **sua**...	os **seus**...	as **suas**...
nós	o **nosso**...	a **nossa**...	os **nossos**...	as **nossas**...
vocês os Senhores as Senhoras	o **vosso**...	a **vossa**...	os **vossos**...	as **vossas**...

B

Possuidor	Possessivos
ELE	o livro a amiga os livros as amigas → **DELE**
ELA	o livro a amiga os livros as amigas → **DELA**
ELES	o livro a amiga os livros as amigas → **DELES**
ELAS	o livro a amiga os livros as amigas → **DELAS**

Oralidade 5

Exemplo:

Eu/máquina fotográfica ***É a minha máquina fotográfica.***
Tu e o Steve / canetas ***São as vossas canetas.***

1. Tu / bola de futebol
 ______.
2. Nós / apartamento
 ______.
3. Eles / carro
 ______.
4. Vocês / sala de aula
 ______.
5. Eu / livros de português
 ______.
6. O senhor / jornal
 ______.
7. Elas / raquetas
 ______.
8. Você / escritório
 ______.
9. A senhora / revistas
 ______.
10. Ele / escola
 ______.
11. Tu e o Miguel / amigo
 ______.
12. Eu e a Sofia / pais
 ______.
13. O senhor e a senhora / quarto
 ______.
14. Você / dicionários
 ______.

Oralidade 6

Exemplo:

— De quem é esta cadeira? *(eu)* — ***É minha.***

1. — De quem é este dicionário? *(tu)*
 — ______.
2. — De quem são aquelas canetas? *(nós)*
 — ______.
3. — De quem é aquele carro cinzento? *(eu)*
 — ______.
4. — De quem são essas revistas? *(ela)*
 — ______.
5. — De quem é esta borracha? *(você)*
 — ______.
6. — De quem são as raquetas? *(elas)*
 — ______.
7. — De quem é aquele jornal? *(vocês)*
 — ______.
8. — De quem é esse lápis? *(a senhora)*
 — ______.
9. — De quem são estes livros? *(nós)*
 — ______.
10. — De quem são esses cadernos? *(ele)*
 — ______.

Texto

O Steve é americano, mas está em Portugal. Ele mora em casa da família Santos e tem um quarto só dele. O quarto é grande, tem paredes azuis e duas janelas pequenas.

O quarto do Miguel e do Rui fica ao lado. O quarto deles tem paredes amarelas e também é grande.

O quarto da Sofia fica em frente. O quarto dela tem paredes cor-de-rosa, é um pouco mais pequeno, mas tem uma janela larga.

Agora não estão nos quartos; estão todos na sala.

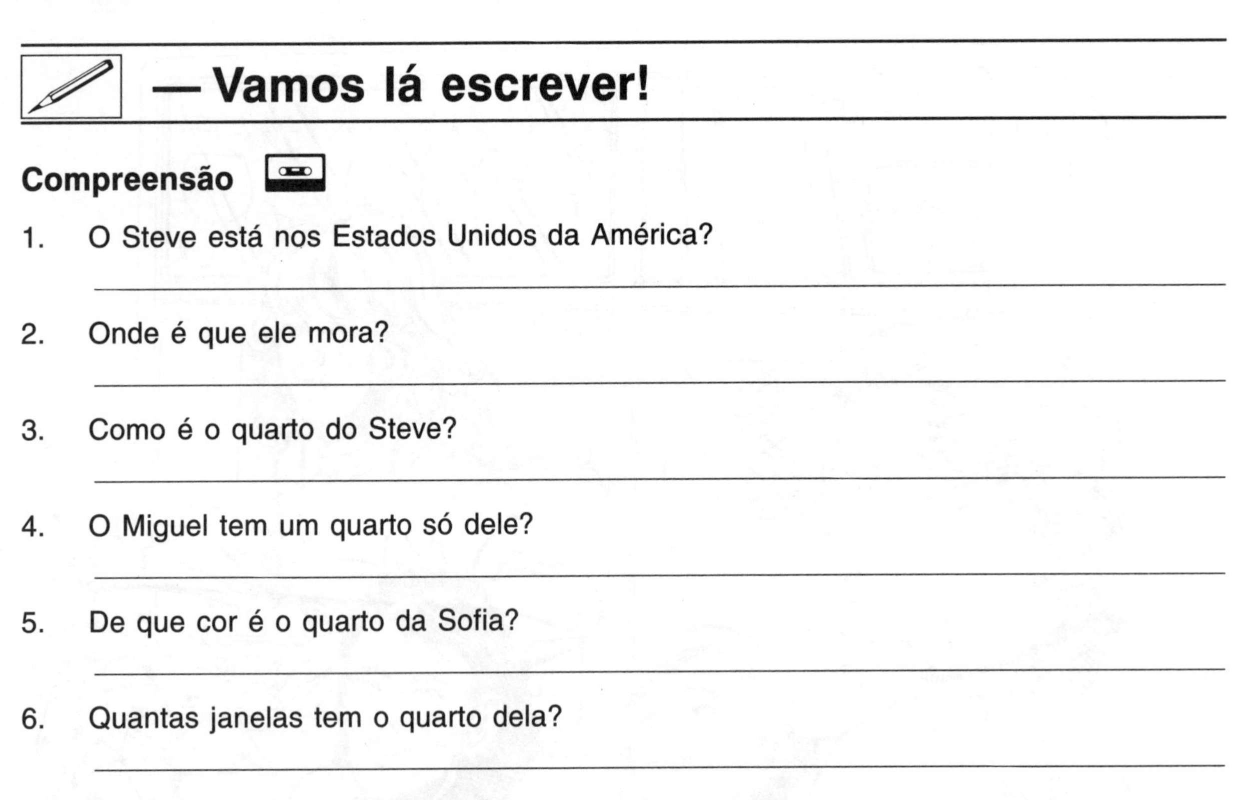

— Vamos lá escrever!

Compreensão

1. O Steve está nos Estados Unidos da América?

2. Onde é que ele mora?

3. Como é o quarto do Steve?

4. O Miguel tem um quarto só dele?

5. De que cor é o quarto da Sofia?

6. Quantas janelas tem o quarto dela?

7. Onde é que eles estão agora?

Escrita 1

Exemplo: pasta/Sr. Santos/ser/castanho/.
<u>*A pasta do Sr. Santos é castanha*</u>.

1. carro / Dra. Celeste / ser / cinzento /.

2. pais / Steve / ser / americano /.

3. canetas / preto / estar / mesa /.

4. Steve / estar / Portugal / casa / família Santos /.

5. bolas / ténis / ser / branco / ou / cor-de-laranja /?

6. Steve / ter / muito / colega / francês /.

7. quarto / Steve / ter / paredes / azul /.

8. Steve / gostar / muito / aulas / português /.

9. folhas / Outono / ser / amarelo / e / Verão / ser / verde /.

10. Steve / andar / escola / português / estrangeiros /.

Sumário

Objectivos funcionais

Chamar alguém (informal)	«Ó Miguel!»
Concordar	«Tens razão.»
Descrever coisas	«O quarto dela tem paredes cor-de-rosa.»
Despedir-se de alguém	«Até logo!»
Identificar a cor	«A neve é branca.»
Identificar o possuidor	«É minha.»
Indicar o estado acidental	«(Ele) está em Portugal.»
Indicar o estado natural/habitual	«O Steve é americano.»
Pedir para descrever coisas	«Como é o quarto do Steve?»
Perguntar pela cor	«De que cor é o quarto da Sofia?»
Perguntar pela localização } no espaço	«Onde está a minha raqueta de ténis?»
Indicar a localização } no espaço	«Está em cima da cadeira.»
Perguntar quem é o possuidor	«De quem é esta máquina fotográfica?»

Vocabulário

Substantivos e adjectivos:

amarelo (adj.)	castanho (adj.)	a folha	a raqueta
o armário	o céu	grande (adj.)	a razão
azul (adj.)	a chuva	a janela	a sala
o banco	cinzento (adj.)	largo (adj.)	a sala de aula
a bandeira	a cor	a máquina fotográfica	a sala de estar
a bola	cor-de-laranja (adj.)	a neve	o sangue
branco (adj.)	cor-de-rosa (adj.)	o Outono	o sol
a cama	os Correios	a parede	o supermercado
o carro	o dia	pequeno (adj.)	o Verão
o carvão	encarnado (adj.)	preto (adj.)	verde (adj.)
a casa	a farmácia	o quarto	vermelho (adj.)

Expressões:

Até logo.	De que cor...?	Se calhar...	ter razão

Verbos:

estacionar	estar	ficar	levar

UNIDADE 5

«Eu bebo o meu frio, mãe.»

Áreas gramaticais/Estruturas

Cardinais:	**21 a 100**
Presente do indicativo:	**haver (forma impessoal)** **verbos regulares em -er (2.ª conjugação)**
Conjugação perifrástica:	**estar a + infinitivo**

Advérbios:	**ainda, amanhã, fora, geralmente, normalmente, sempre**
Conjunções:	**como, enquanto**
Indefinidos:	**uma**
Interjeições:	**hum!**
Interrogativos:	**quais**
Locuções adverbiais:	**à tarde, à tardinha, com facilidade, de manhã, de manhãzinha**
Preposições:	**a, sem**

Diálogo

D. Ana: Bom dia. Já a pé?! Hoje não há aulas!

Steve: Bom dia, D. Ana. Agora temos treino aos sábados.

Miguel: Bom dia, mãe. O pequeno-almoço já está pronto?

D. Ana: Ainda não. Estou a arranjar.

Miguel: O que é que há para comer?

D. Ana: Está aqui pão e no frigorífico há queijo e fiambre.

Steve: Hum! Estou cheio de fome.

D. Ana: Porque é que não comem já uma sandes de fiambre com manteiga, enquanto aqueço o leite?

Miguel: Eu bebo o meu frio, mãe.

— Vamos lá falar!

Apresentação 1

Cardinais	
21 — **vinte e um**	40 — **quarenta**
22 — **vinte e dois**	41 — **quarenta e um**
23 — **vinte e três**	...
24 — **vinte e quatro**	50 — **cinquenta**
25 — **vinte e cinco**	60 — **sessenta**
...	70 — **setenta**
30 — **trinta**	80 — **oitenta**
31 — **trinta e um**	90 — **noventa**
32 — **trinta e dois**	100 — **cem**
33 — **trinta e três**	
...	

Oralidade 1

36	25	86	37	88	52	28	67
45	61	94	48	82	66	93	52
50	55	79	51	75	31	77	96

Apresentação 2

JANEIRO

Segunda-feira	Terça-feira	Quarta-feira	Quinta-feira	Sexta-feira	Sábado	Domingo
25	26	27	28	29	30	31

a semana	Uma semana tem sete dias.
os dias da semana	Os dias da semana são: segunda-feira, terça-feira, quarta-feira, quinta-feira, sexta-feira, sábado e domingo.
o fim-de-semana	O fim-de-semana são dois dias: sábado e domingo.
o mês	Um mês tem quatro semanas. Os meses são: Janeiro, Fevereiro, Março, Abril, Maio, Junho, Julho, Agosto, Setembro, Outubro, Novembro, Dezembro.
o ano	Um ano tem doze meses.
hoje	Hoje é segunda-feira, 25 de Janeiro.
amanhã	Amanhã é terça.
todos os dias	Tomo o pequeno-almoço todos os dias: de segunda a domingo.

Oralidade 2

1. Que dia é hoje?

   ______________________________.

2. Que dia é amanhã?

   ______________________________.

3. Quantos são hoje?

   ______________________________.

4. Quantos são os dias da semana?

   ______________________________.

5. Quais são os dias do fim-de-semana?

   ______________________________.

6. Quantas semanas tem um mês?

   ______________________________.

7. Em que mês estamos?

   ______________________________.

8. Quantos meses tem um ano?

   ______________________________.

Apresentação 3

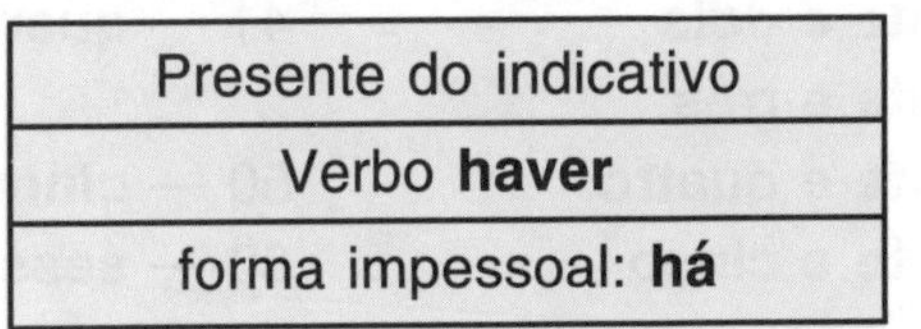

Presente do indicativo
Verbo **haver**
forma impessoal: **há**

Oralidade 3

1. **Há** queijo e fiambre no frigorífico.
2. Hoje **há** um bom filme na televisão.
3. Hoje **há** bifes com batatas fritas para o almoço.
4. Amanhã **há** bacalhau no forno para o jantar.
5. — Ainda **há** torradas?
   — Só **há** uma.

Apresentação 4

Presente do indicativo	
Verbos regulares em **-er**	
(eu)	aprend **o**
(tu)	beb **es**
(você, ele, ela)	com **e**
(nós)	escrev **emos**
(vocês, eles, elas)	viv **em**

N.B.: aquecer → eu aque**ç**o, tu aqueces...

Oralidade 4

1. Nós **comemos** pão ao pequeno-almoço: eu **como** pão com manteiga e tu **comes** uma sandes de fiambre.
2. Nós **bebemos** leite ao lanche: eu **bebo** café com leite e tu **bebes** leite com chocolate.
3. Nós **corremos** todos os dias: eu **corro** de manhãzinha e tu **corres** à tardinha.
4. O Steve **escreve** aos pais todas as semanas.
5. Vocês **vivem** em Coimbra.
6. Eles **aprendem** com facilidade.
7. Nós **compreendemos** o exercício.
8. Eu **conheço** o amigo do Miguel, o Steve Harris.
9. Eu **aqueço** o meu leite todas as manhãs.
10. Eu **desço** esta rua todos os dias para apanhar o autocarro.

Oralidade 5

1. — Conheces o amigo do Miguel?
   — ____________. É o Steve Harris.
2. — O que é que vocês tomam ao pequeno almoço?
   — ____________ torradas e ____________ chá.
3. — E o Steve?
   — ____________ovos com presunto e ____________ um copo de sumo de laranja.
4. — Os avós do Miguel vivem em Lisboa?
   — Não, ____________ no Rio de Janeiro.
5. — E a tia Celeste?
   — ____________ em Faro.
6. — Vocês escrevem normalmente aos vossos avós?
   — Sim, ____________ todos os meses.
7. — Aprendes línguas com facilidade, Sofia?
   — ____________.
8. — E o Rui compreende os exercícios todos?
   — Não, não ____________.
9. — Sofia, o que é que bebes ao almoço?
   — ____________ sempre água.
10. — E o teu pai?
    — Normalmente ____________ vinho.

Apresentação 5

Realização prolongada			
estar a + infinitivo			
(eu)	estou		
(tu)	estás		comer
(você, ele, ela)	está	a	escrever
(nós)	estamos		jogar
(vocês, eles, elas)	estão		

Oralidade 6

Exemplo:

A D. Ana prepara o pequeno-almoço todos os dias. Agora *está a preparar o pequeno-almoço na cozinha*.

1. Nós estudamos português todos os dias.
   Neste momento ______________________________.
2. O Steve escreve aos pais todas as semanas.
   Agora ______________________________.
3. Eles jogam ténis todos os fins-de-semana.
   Hoje é sábado e ______________________________ no clube.
4. O Sr. Santos bebe café todas as noites.
   Agora ______________________________.
5. Os jogadores treinam todos os dias.
   Neste momento ______________________________ no campo de futebol.
6. O Steve vive nos Estados Unidos, mas
   agora ______________________________ em Portugal.
7. A Sofia fala muitas línguas.
   Neste momento ______________________________ inglês com o Steve.
8. O Rui gosta muito de brincar.
   Agora ______________________________ no quarto dele.
9. Eles andam de bicicleta todas as tardes.
   Agora ______________________________ no parque.
10. Ela corre todos os sábados de manhã.
    Neste momento ______________________________ no Estádio Nacional.

Texto

Ao domingo a família Santos almoça sempre fora.

Neste momento estão todos juntos no restaurante, sentados à mesa. A D. Ana gosta muito de peixe. Ela está a comer linguado grelhado com batatas cozidas. O Sr. Santos e o Miguel estão a comer arroz de marisco. O Steve está a comer costeletas de vitela com puré de batata. O Rui geralmente come carne, mas hoje está a comer filetes de pescada com arroz de cenoura. A Sofia, como não tem muita fome, está a comer meia dose de febras de porco assadas com salada de alface e tomate. E para beber? Estão todos a beber vinho branco da casa, menos o Rui e a Sofia. Ele está a beber laranjada e ela água mineral sem gás.

— Vamos lá escrever!

Compreensão

1. A família Santos almoça em casa ao domingo?
2. Onde é que eles estão agora?
3. O que é que a D. Ana está a comer?
4. Quem é que está a comer arroz de marisco?
5. O Steve e o Rui estão a comer febras de porco?
6. Porque é que a Sofia só está a comer meia dose?
7. O que é que eles estão a beber?

Escrita 1

Exemplo:

Paulo / estudar / todos os dias /.
Agora / estudar / quarto dele /.
O Paulo estuda todos os dias.
Agora está a estudar no quarto dele.

1. Rui / beber / leite / ao pequeno-almoço /.
   Agora / beber / copo / leite / frio /.
2. D. Ana / preparar / jantar / todos os dias /.
   Agora / preparar / jantar / cozinha /.

3. Nós/andar/bicicleta/todas as tardes/.
Neste momento/andar/bicicleta/parque/.

___

___

4. Miguel/Steve/correr/todos os fins-de-semana/.
Agora/correr/Estádio Nacional/.

___

___

5. Sofia/escrever/avós/todos os meses/.
Neste momento/escrever/carta/.

___

___

Escrita 2

Complete com o verbo na forma correcta:

Hoje ________(*ser*) quarta-feira. O Miguel e o Steve ________(*estar*) em casa, porque não ________(*ter*) aulas à tarde. O Steve ________(*estar*) a estudar português e o Miguel está a ________(*arranjar*) o lanche para eles. Normalmente ________(*comer*) pão com queijo ou fiambre e ________(*beber*) uma chávena de café com leite. Mas hoje o lanche ________(*ser*) diferente: também ________(*haver*) bolo de chocolate!

Sumário

Objectivos funcionais

Contar de 21 a 100

Contrastar	acções habituais com acções a decorrer no presente	«A D. Ana prepara o pequeno-almoço todos os dias.» «Agora está a preparar o pequeno-almoço na cozinha.»
Descrever acções a decorrer no presente		«O Sr. Santos e o Miguel estão a comer arroz de marisco.»
Identificar	dia da semana mês data	«Hoje é sábado.» «Estamos em Janeiro.» «Hoje são 25 de Janeiro.»
Perguntar por	dia da semana mês data	«Que dia é hoje?» «Em que mês estamos?» «Quantos são hoje?»
Perguntar por Referir	existências	«Ainda há torradas?» «Só há uma.»

Vocabulário

Substantivos, adjectivos e numerais:

Abril	cozido (adj.)	o leite	o sábado
Agosto	a cozinha	o linguado	a salada (de {alface / tomate})
a água (mineral sem gás)	Dezembro	Maio	a sandes
o almoço	diferente (adj.)	a manhã	a segunda-feira
o ano	o domingo	a manteiga	a semana
o arroz (de {marisco / cenoura})	a dose	Março	sentado (adj.)
assado (adj.)	o Estádio Nacional	meio (adj.)	sessenta
o autocarro	o exercício	o momento	Setembro
o bacalhau	a febra (de porco)	Novembro	setenta
a batata	Fevereiro	noventa	a sexta-feira
o bife	o fiambre	oitenta	o sumo (de laranja)
o bolo	o filete (de pescada)	Outubro	a tarde
bom (adj.)	o filme	o ovo	a televisão
o café	o fim-de-semana	o pão	a terça-feira
o campo (de futebol)	a fome	o parque	a torrada
a carne	o forno	o peixe	o treino
a carta	o frigorífico	o pequeno-almoço	trinta
cem	frio (adj.)	o presunto	trinta e dois
o chá	frito (adj.)	pronto (adj.)	trinta e três
a chávena	grelhado (adj.)	o puré (de batata)	trinta e um
o chocolate	Janeiro	quarenta	o vinho
cinquenta	o jantar	quarenta e um	vinte e cinco
o clube	o jogador	a quarta-feira	vinte e dois
Coimbra	Julho	o queijo	vinte e quatro
o copo	Junho	a quinta-feira	vinte e três
a costeleta (de vitela)	junto (adj.)	o restaurante	vinte e um
	o lanche	a rua	
	a laranjada		

Expressões:

estar {a pé / cheio de fome / pronto / sentado}	ter fome		

Verbos:

almoçar	arranjar	conhecer	preparar
andar (de)	beber	correr	tomar
apanhar	brincar	descer	treinar
aprender	comer	escrever	viver
aquecer	compreender	haver	

REVISÃO 1/5

I - Complete:

1. — __________ se chama?
   — Chamo-me Ana Santos.
2. — __________ meses tem o ano?
   — Tem doze.
3. — __________ são estas canetas?
   — São minhas.
4. — __________ é isto?
   — É um lápis.
5. — __________ cor é a bandeira portuguesa?
   — É verde e encarnada.
6. — __________ é o Steve?
   — É de Boston.
7. — __________ é a profissão do Sr. Santos?
   — É director comercial.
8. — __________ é a Sofia?
   — É irmã do Miguel e do Rui.
9. — __________ é que a família Santos vive?
   — Num apartamento em Lisboa.
10. — __________ são os dias do fim-de-semana?
    — Sábado e domingo.

II - Complete:

Exemplo:

— O que é isto? *(bola / Rui)*
— ***Isso é uma bola. Essa bola é do Rui.***

1. — O que é isso? *(caneta / professor)*
   — ______________________ . ______________________.
2. — O que é aquilo? *(raqueta / Sofia)*
   — ______________________ . ______________________.
3. — O que é isto? *(dicionários / alunos)*
   — ______________________ . ______________________.
4. — O que é aquilo? *(jornal / Sr. Santos)*
   — ______________________ . ______________________.
5. — O que é isto? *(cadernos / Miguel)*
   — ______________________ . ______________________.

III - Complete:

Exemplo:
— Este lápis é do Sr. Santos?
— *Sim, é o lápis dele.*

1. — Estas canetas são tuas, Rui?
   — ______, ______________________________.
2. — Essas raquetas são do Steve e da Sofia?
   — ______, ______________________________.
3. — Este quarto é teu e do Rui, Miguel?
   — ______, ______________________________.
4. — Aquelas revistas são minhas, Steve?
   — ______, ______________________________.
5. — Este dicionário é meu e da Sofia, não é?
   — ______, ______________________________.

IV - Complete com: **ser / ter / estar / haver**

Boa tarde. O meu nome ________ Steve Harris. ________ um estudante americano, mas não ________ nos Estados Unidos. ________ em Portugal, em casa duma família. A família ________ portuguesa e ________ um apartamento em Lisboa. O Sr. e a Sra. Santos ________ três filhos; o Miguel, a Sofia e o Rui.

Nós ________ amigos e ________ juntos todos os dias. ________ aulas de manhã e à tarde ________ normalmente no clube. Mas hoje, como ________ um bom filme na televisão, ________ em casa.

V - Complete com preposições (com ou sem artigo):

1. O Steve é ______ Boston, mas agora está ______ viver ______ Lisboa.
2. Ele anda ______ escola ______ português ______ estrangeiros.
3. A escola dele fica ______ ______ ______ Correios.
4. Toma sempre o pequeno-almoço ______ casa: pão ______ manteiga e um copo______ leite.
5. Também gosta ______ beber um sumo ______ laranja.

VI - Descreva as figuras. O que é que eles estão a fazer?

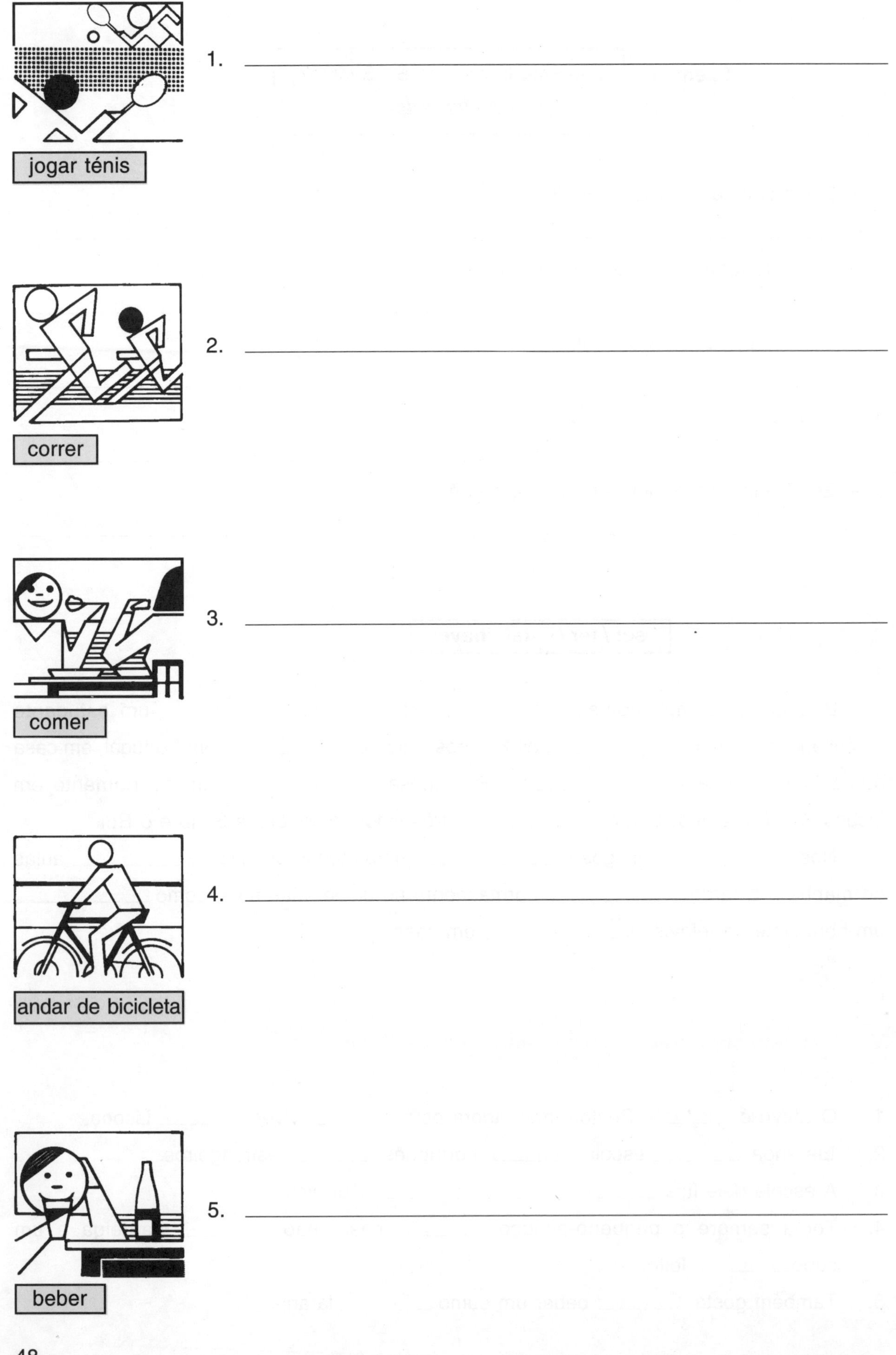

VII - Complete:

Chama-se...	É de...	Então é...	E fala...
Michael Jackson	*Estados Unidos*	*americano*	*inglês*
Marlene Dietrich			
Plácido Domingo			
Amália Rodrigues			
Yuri Gagarin			
Björn Borg			
Sofia Loren			
Pelé			
Baudouin			
Jacques Delors			
Kurt Waldheim			

UNIDADE 6

«Esqueço-me sempre do nome?»

Áreas gramaticais/Estruturas

Preposições de tempo: **a, de, em, para**

Conjugação pronominal reflexa: **sentar-se**

Pronomes pessoais (reflexos): **me, te, se, nos**

Colocação do pronome

Presente do indicativo: **formas irregulares dos verbos em -er**

Advérbios: **cedo, nunca, quase, tarde**
Indefinidos: **alguma, nada, outros, uns**
Interjeições: **ah!**
Interrogativos: **o quê, porquê**
Locuções adverbiais: **à noite, da noite, da tarde, em ponto**

Diálogo

Às quatro horas da tarde, no café

Empregado: Boa tarde. Que desejam?
Miguel: Boa tarde. Queria uma sandes mista e um galão escuro, por favor.
Steve: Fazem batidos?
Empregado: Fazemos, sim.
Steve: Então queria um batido de morango e um... Esqueço-me sempre do nome... Ah! Pastel de nata.
Paulo: Eu queria um rissol e uma bica.
Miguel: Olha, Paulo. Os rissóis aqui são óptimos.
Paulo: Nesse caso, pode trazer dois, se faz favor.
Sofia: Têm queques?
Empregado: Temos sim e hoje estão muito bons.
Sofia: Então quero um queque e um garoto claro.
Empregado: Mais alguma coisa?
Miguel: Mais nada, obrigado.

Meia hora mais tarde...

Sofia: Sabem que horas são? Já é tarde. Vamos embora.
Paulo: Ainda temos de pagar.
Miguel: Por favor, a conta.

— Vamos lá falar!

Apresentação 1

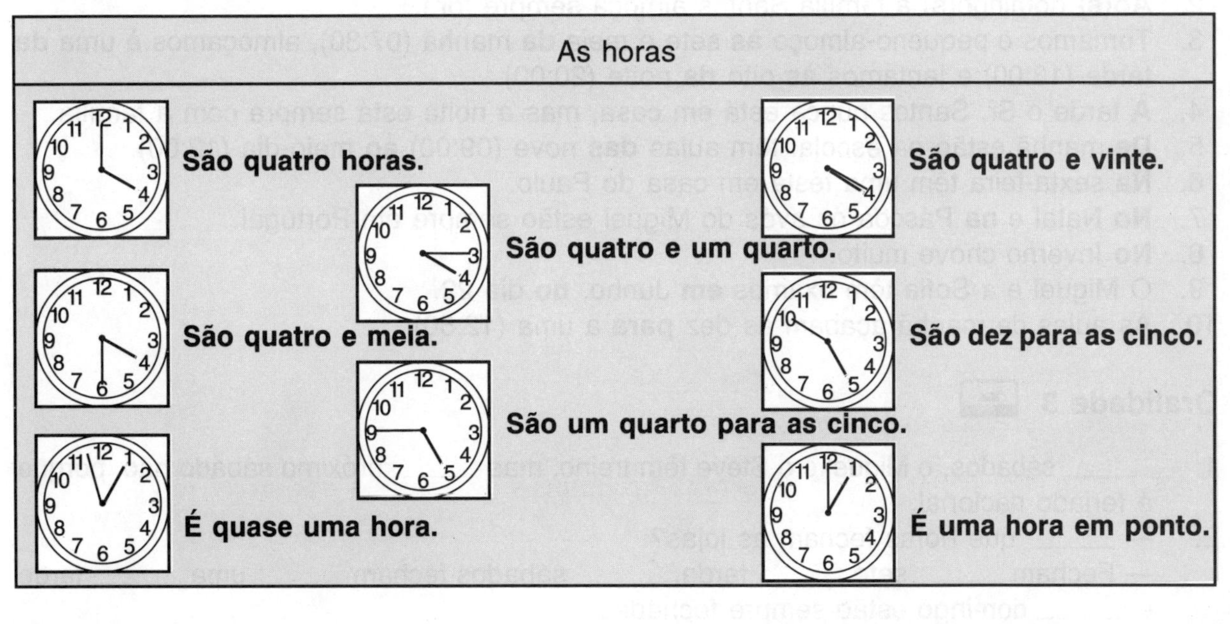

15 minutos = um quarto de hora
30 minutos = meia hora
60 minutos = uma hora
12:00 = meio-dia
24:00 = meia-noite

02:00 = duas (horas) **da manhã**
10:00 = dez (horas) **da manhã**
14:00 = duas (horas) **da tarde**
22:00 = dez (horas) **da noite**

Oralidade 1

Que horas são?

10:30	14:15	00:30	11:20	12:45	20:15	01:50	05:55
13:00	17:00	09:05	12:10	18:05	21:25	03:15	23:10

Apresentação 2

Preposições de tempo	Casos	
a	datas (com dia do mês)	(1)
	dias da semana (habitual)	(2)
	horas	(3)
	partes do dia	(4)
de	mês (na data)	(1)
	partes do dia	(3) (5)
	horas	(5)
em	dias da semana	(6)
	épocas festivas	(7)
	estações do ano	(8)
	meses	(9)
	datas (com «dia»)	(9)
para	horas	(10)

Oralidade 2

1. O Natal é **a** 25 **de** Dezembro.
2. **Ao(s)** domingo(s) a família Santos almoça sempre fora.
3. Tomamos o pequeno-almoço **às** sete e meia **da** manhã (07:30), almoçamos **à** uma **da** tarde (13:00) e jantamos **às** oito **da** noite (20:00).
4. **À** tarde o Sr. Santos nunca está em casa, mas **à** noite está sempre com a família.
5. **De** manhã estão na escola: têm aulas **das** nove (09:00) **ao** meio-dia (12:00).
6. **Na** sexta-feira têm uma festa em casa do Paulo.
7. **No** Natal e **na** Páscoa os avós do Miguel estão sempre em Portugal.
8. **No** Inverno chove muito.
9. O Miguel e a Sofia têm exames **em** Junho, **no** dia 22.
10. As aulas da manhã acabam às dez **para** a uma (12:50).

Oralidade 3

1. ______ sábados, o Miguel e o Steve têm treino, mas ______ próximo sábado não, porque é feriado nacional.
2. — ______ que horas fecham as lojas?
   — Fecham ______ sete ______ tarde, ______ sábados fecham ______ uma ______ tarde e ______ domingo estão sempre fechadas.
3. As aulas começam ______ dia 21 ______ Setembro.
4. ______ Primavera a família Santos passa uma semana de férias no Algarve.
5. ______ dia 24 ______ Dezembro ______ noite ficam em casa e festejam o Natal com toda a família. ______ meia-noite comem bacalhau cozido e depois há presentes para todos.

Apresentação 3

A

Conjugação pronominal reflexa	
(eu)	sento-**me**
(tu)	sentas-**te**
(você, ele, ela)	senta-**se**
(nós)	sentamo~~s~~-**nos**
(vocês, eles, elas)	sentam-**se**

B

Colocação do pronome		
Sento-	me	nesta cadeira.
Lembras-	te	do Steve?
Também	me	sento aqui.
Como (é que)	te	chamas?
Enquanto	se	lava, canta.
Não/Nunca	nos	deitamos tarde.
Todos	se	levantam cedo.

Oralidade 4

Exemplo:

Como (*chamar-se*) o irmão deles?
Como ***se chama*** o irmão deles?

1. O Steve nunca (*lembrar-se*) do nome do bolo.
   ______________________________.
2. Eu (*esquecer-se*) sempre de fechar a porta.
   ______________________________.
3. Nós (*levantar-se*) sempre cedo, mas também (deitar-se) cedo.
   ______________________________.
4. Todos (*lembrar-se*) bem da tia Celeste.
   ______________________________.
5. Porque não (*sentar-se*) Rui?
   ______________________________.

Oralidade 5

1. — Eu levanto-me às 07:00. E tu?
   — Eu também ______________ às 07:00.
2. — Como é que se chama a mãe do Miguel?
   — ______________ Ana Santos.
3. — Vocês deitam-se muito tarde?
   — Não, ______________ sempre cedo.
4. — Lembras-te a que horas é o jogo?
   — Não, não ______________.
5. — Onde é que nos sentamos?
   — Tu __________ aí e eu __________ aqui.
6. — Não te esqueces da pasta?
   — Não, não ______________. Está aqui.
7. — Ainda se lembram do nome do filme?
   — Não, já não ______________.
8. — Porque é que não se senta?
   — ______________ já.
9. — Deitamo-nos sempre tarde. E vocês?
   — Só ______________ tarde ao fim-de--semana.
10. — Vocês levantam-se cedo?
    — Nós todos ______________ cedo.

Apresentação 4

	Presente do indicativo				
	Verbos irregulares em **-er**				
	eu	tu	você, ele, ela	nós	vocês, eles, elas
dizer	**digo**	dizes	**diz**	dizemos	dizem
fazer	**faço**	fazes	**faz**	fazemos	fazem
perder	**perco**	perdes	perde	perdemos	perdem
poder	**posso**	podes	pode	podemos	podem
querer	quero	queres	**quer**	queremos	querem
saber	**sei**	sabes	sabe	sabemos	sabem
trazer	**trago**	trazes	**traz**	trazemos	trazem

Oralidade 6

1. — Ó Miguel! O que é que tu dizes para agradecer?
   — Eu ____________ «muito obrigado», mas a Sofia ____________ «muito obrigada».
2. — Eu e a Sofia fazemos anos em Janeiro: eu ____________ anos no dia 10 e ela ____________ anos a 25.
3. — Ó Sofia! Podes estar no café às três?
   — Hoje às três não ____________.
4. — O que é que querem no Natal?
   — Eu quero uma mota e o Rui ____________ uma bicicleta nova.
5. — Sabes onde está o meu dicionário?
   — Não, não ____________.
6. — O que é que trazem aí, mãe?
   — (Eu) ____________ bolinhos para a festa e o teu pai ____________ a prenda.
7. — É tarde. Ainda perdes o autocarro.
   — Não, não ____________. A paragem é já aqui.

Texto

Hoje há festa em casa do Paulo. A irmã dele faz anos e está muito contente. Às cinco da tarde começam a chegar os convidados.

Cristina: Parabéns, Teresa. Já sei que tens uma aparelhagem nova.
João: Muitos parabéns. Então, quantos anos fazes?
Teresa: Vinte. Já estou velha!
Mãe: Ora! Ainda és muito nova para dizer isso.
Miguel: Parabéns, Teresa. Ainda não conheces o Steve, pois não?
Steve: Muito prazer e os meus parabéns.
Mãe: Bom, agora que já se conhecem todos podemos passar para o jardim.

Como o tempo está bom, resolvem fazer a festa lá fora. Enquanto a mãe traz as bebidas, a Teresa liga a aparelhagem: uns dançam e outros sentam-se na relva a conversar.

— Vamos lá escrever!

Compreensão

1. Quem faz anos hoje?

2. A que horas é que os convidados começam a chegar?

3. Quantos anos faz a Teresa?

4. Onde é que eles fazem a festa? Porquê?

5. Os amigos da Teresa estão de pé ou sentados? A fazer o quê?

Escrita 1

Exemplo: mãe /estar de pé / jardim /.
A mãe está de pé no jardim.

1. Teresa / estar / contente / porque / hoje / fazer anos /.

2. ele / trazer / discos / novo / para / festa /.

3. eles / resolver / fazer / festa / jardim /.

4. amigos / Teresa / estar sentado / relva / conversar /.

5. sexta-feira / todos / deitar-se / mais tarde /.

Escrita 2

Exemplo:

A irmã do Paulo chama-se Teresa.
Como se chama a irmã do Paulo?

1. No dia 12 de Fevereiro o Paulo faz 19 anos.
   a) b)

   a) ______________________________?
   b) ______________________________?

2. Eles estão sentados no café a lanchar.
   c) d)

   c) ______________________________?
   d) ______________________________?

3. O Steve levanta-se às 07:00, porque tem aulas às 08:30.
   e) f)

   e) ______________________________?
   f) ______________________________?

4. O Sr. Santos e a D. Ana têm um carro branco.
   g) h)

   g) ______________________________?
   h) ______________________________?

5. O quarto do Steve é grande.
   i) j)

   i) ______________________________?
   j) ______________________________?

Sumário

Objectivos funcionais

Chamar a atenção	«Olha, Paulo.»
Contrastar «ser» e «estar»	«Os rissóis aqui são óptimos.» «... hoje estão muito bons.» «Já estou velha!» «Ainda és muito nova...»
Expressar desejos	«Queria...» «Quero...»
Falar da localização no tempo	«De manhã estão na escola: têm aulas das nove (09:00) ao meio-dia (12:00).»
Felicitar	«Parabéns.» «Muitos parabéns.»

Perguntar / Dizer } a idade	«Quantos anos fazes?» «(Faço) vinte (anos).»
Perguntar o que deseja	«Que deseja?»
Reforçar delicadamente a solicitação	«Por favor, ...» «..., por favor.» «..., se faz favor.»

Vocabulário

Substantivos e adjectivos:

a aparelhagem	escuro (adj.)	a loja	o pastel de nata
o batido (de morango)	a estação (do ano)	a meia-noite	a porta
a bebida	o exame	o meio-dia	a prenda
a bica	o feriado	o minuto	o presente
o caso	as férias	misto (adj.)	a Primavera
claro (adj.)	a festa	a mota	próximo (adj.)
a coisa	festivo (adj.)	o Natal	o quarto de hora
a conta	o galão	novo (adj.)	o queque
contente (adj.)	o garoto	óptimo (adj.)	a relva
o convidado	a hora	os parabéns	o rissol
a data	o Inverno	a paragem	tarde (adj.)
o disco	o jardim	a parte	o tempo
a época	o jogo	a Páscoa	velho (adj.)

Expressões:

... em ponto.	Muitos parabéns.	Por favor...	... se faz favor.
estar de pé	Olha...	Que desejam?	ser tarde
fazer anos	Os meus parabéns.	Queria...	Vamos embora.
Muito obrigado.	Parabéns.		

Verbos:

acabar	dançar	jantar	perder
agradecer	deitar-se	lanchar	poder
chegar	desejar	lavar-se	querer
chover	dizer	lembrar-se (de)	resolver
começar (a)	esquecer-se (de)	levantar-se	saber
conhecer	fazer	ligar	sentar-se
conhecer-se	fechar	pagar	ter de
conversar	festejar	passar	trazer

UNIDADE 7

«Sei lá! Não consigo decidir-me...»

Áreas gramaticais/Estruturas

Cardinais:	**101** a **1 000 000**
Ordinais:	**1.º** a **20.º**
Presente do indicativo:	**verbos regulares em -ir (3.ª conjugação), ver, ler**
Pronomes pessoais complemento indirecto:	**me, te, lhe**

Advérbios:	**antes, bastante, raramente, realmente**
Conjunções:	**quando, que, se**
Indefinidos:	**ambas, nada, nenhum**
Interrogativos:	**a quem, quando, quanto**
Locuções adverbiais:	**à vontade, ao fundo, ao longe, às vezes, com certeza, por exemplo**
Locuções conjuncionais:	**no entanto**
Locuções prepositivas:	**ao contrário de**
Relativos:	**que**

Diálogo

D. Ana: Boa tarde. Queria ver camisolas para senhora, por favor.
Empregada 1: Tem de se dirigir à Secção de Senhora, no 1.º andar, se não se importa.
D. Ana: Muito obrigada.
Empregada 1: De nada.

....

Empregada 2: Faz favor de dizer, minha senhora.
D. Ana: Pode mostrar-me essas camisolas, por favor?
Empregada 2: Com certeza. O seu tamanho deve ser o médio.
D. Ana: Hum! Gosto bastante deste modelo. Tem noutras cores?
Empregada 2: Há também em tons de azul e castanho. Abro já para a senhora ver.
D. Ana: Acho que é melhor experimentar as duas.
Empregada 2: À vontade. O gabinete de provas é ali ao fundo.

....

Empregada 2: Então, de qual gosta mais? Ficam-lhe muito bem as duas.
D. Ana: Sei lá! Não consigo decidir-me... Bom. Acho que prefiro esta. Qual é o preço?
Empregada 2: Quinze contos e quinhentos. Aqui tem o talão. Pode pagar na caixa e levantar lá o embrulho. Muito obrigada e boa tarde.
D. Ana: Boa tarde e obrigada.

— Vamos lá falar!

Apresentação 1

A

Cardinais	
101 — **cento e um**	1000 — **mil**
102 — **cento e dois**	1001 — **mil e um**
...	...
200 — **duzentos**	2000 — **dois mil**
201 — **duzentos e um**	2001 — **dois mil e um**
...	...
300 — **trezentos**	3000 — **três mil**
400 — **quatrocentos**	4000 — **quatro mil**
500 — **quinhentos**	...
600 — **seiscentos**	
700 — **setecentos**	1 000 000 — **um milhão**
800 — **oitocentos**	
900 — **novecentos**	

B

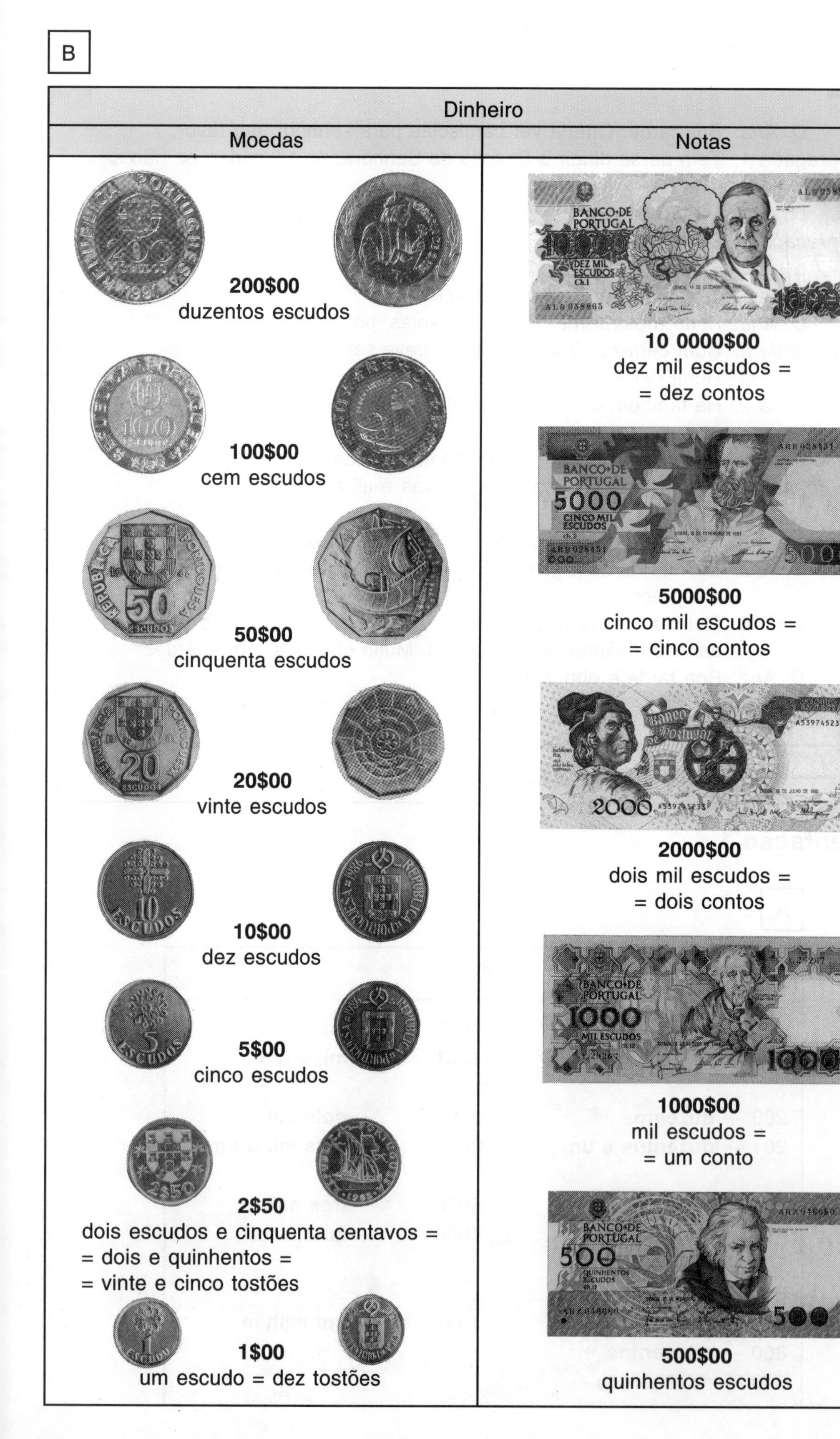

Dinheiro	
Moedas	**Notas**
200$00 duzentos escudos	**10 0000$00** dez mil escudos = = dez contos
100$00 cem escudos	**5000$00** cinco mil escudos = = cinco contos
50$00 cinquenta escudos	**2000$00** dois mil escudos = = dois contos
20$00 vinte escudos	**1000$00** mil escudos = = um conto
10$00 dez escudos	**500$00** quinhentos escudos
5$00 cinco escudos	
2$50 dois escudos e cinquenta centavos = = dois e quinhentos = = vinte e cinco tostões	
1$00 um escudo = dez tostões	

Oralidade 1

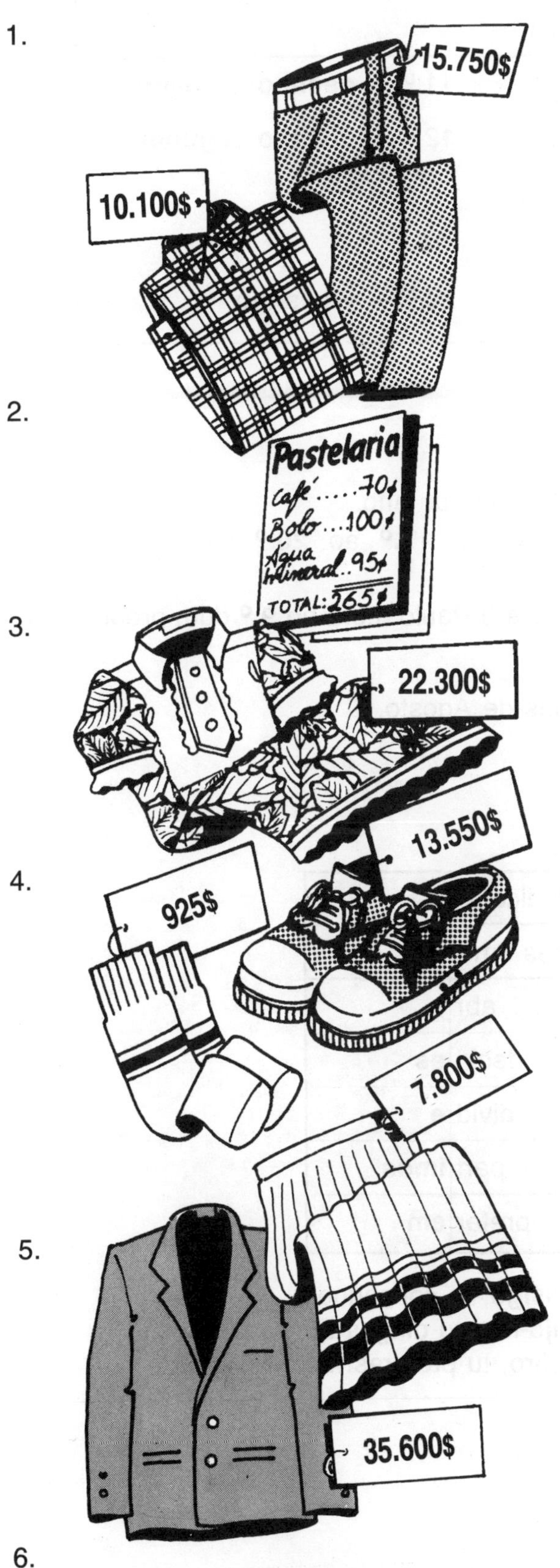

1. Qual é o preço das calças?

   ______________________________.

   E da camisa aos quadrados?

   ______________________________.

2. Quanto é?

   ______________________________.

3. Quanto custa o vestido?

   ______________________________.

4. Qual é o preço dos ténis?

   ______________________________.

   E das meias?

   ______________________________.

5. Qual é o preço da saia às riscas?

   ______________________________.

   E do casaco?

   ______________________________.

6. Quanto custa um selo para a Europa?

   ______________________________.

Apresentação 2

Ordinais		
1.º — **primeiro**	6.º — **sexto**	11.º — **décimo primeiro**
2.º — **segundo**	7.º — **sétimo**	12.º — **décimo segundo**
3.º — **terceiro**	8.º — **oitavo**	.
4.º — **quarto**	9.º — **nono**	.
5.º — **quinto**	10.º — **décimo**	20.º — **vigésimo**

Oralidade 2

1. Novembro é o **11.º** mês e Dezembro é o **12.º** mês do ano.
2. O edifício dos Correios tem vinte andares: do **17.º** ao **20.º** são os Serviços Administrativos.
3. Nós moramos no **5.º** andar dum prédio antigo e o Paulo mora no **9.º** dum prédio novo.
4. Qual é a **2.ª** refeição do dia?
5. O Sr. Santos faz férias nas **1.as** três semanas de Agosto.

Apresentação 3

Presente do indicativo		
Verbos regulares em **-ir**		
(eu)	abr	**o**
(tu)	decid	**es**
(você, ele, ela)	divid	**e**
(nós)	part	**imos**
(vocês, eles, elas)	prefer	**em**

N.B.: conseguir → eu cons**ig**o, tu consegues...
dirigir-se → eu diri**j**o-me, tu diriges-te...
preferir → eu pref**i**ro, tu preferes...

Oralidade 3

1. — Quando é que vocês abrem as prendas?
   — ______________ já.
2. — Qual é que preferes? A azul ou a castanha?
   — ______________ a castanha.
3. — Ó Steve, quando é que partes para os E.U.A.?
   — ______________ no fim do mês, mas os meus pais ______________ antes.

4. — Consegues estudar com barulho?
   — Não, não ______________.
5. — Já não vestes esta camisa, Miguel?
   — Não, já não ______________.
6. — Não despes o casaco, Steve?
   — Claro! ______________ já.
7. — Então, vocês não se servem do doce?
   — ______________ já.
8. — Porque é que não decidem agora?
   — Agora, não. ______________ mais tarde.
9. — Vocês ainda partem o vidro com a bola!
   — Não ______________ nada!
10. — Tens de dividir o bolo com os teus irmãos, Rui.
   — Está bem. ______________ em três.

Apresentação 4

Presente do indicativo		
Verbos	**ver** /	**ler**
(eu)	**vejo**	**leio**
(tu)	**vês**	**lês**
(você, ele, ela)	**vê**	**lê**
(nós)	**vemos**	**lemos**
(vocês, eles, elas)	**vêem**	**lêem**

Oralidade 4

1. Eu vejo
2. Tu vês
3. Você vê
4. Ele vê
5. Ela vê
6. Nós vemos
7. Vocês vêem
8. Eles vêem
9. Elas vêem

Oralidade 5

1. Eu leio
2. Tu lês
3. Você lê
4. Ele lê
5. Ela lê
6. Nós lemos
7. Vocês lêem
8. Eles lêem
9. Elas lêem

Oralidade 6

1. — Vocês __________ televisão?
   — Eu __________, mas o meu marido normalmente não __________.
2. — E__________ o jornal?
   — Eu raramente __________, mas o Sr. Santos __________ sempre um vespertino quando chega a casa.
3. — __________ bem as legendas, Steve?
   — __________, mas às vezes não percebo.
4. — O senhor __________ bem ao longe?
   — Sim, __________ muito bem.
5. — Quem é que __________ esta revista?
   — __________ eles. Eu nunca __________, não tem interesse nenhum.

Apresentação 5

	Pronomes pessoais
	complemento indirecto
(eu)	**me**
(tu)	**te**
(você) (o senhor) (a senhora) (ele) (ela)	**lhe**

Oralidade 7

1. — Gosto muito da sua camisola nova, mãe. Fica-______ muito bem.
   — Também acho. Este tom fica-______ bem.
2. — O que é que ______ apetece fazer, Steve?
   — Apetece-______ beber uma coisa fresca.
3. — A quem é que estás a escrever?
   — À minha irmã. Escrevo-______ todos os meses.
4. — Pode dizer-______ quanto custa esse vestido, por favor?
   — Só um momento. Digo-______ já.
5. — Posso fazer-______ uma pergunta, Sr. Santos?
   — Com certeza!

Texto

A D. Ana gosta de seguir a moda. Não o último grito da moda — esse é mais apropriado para os jovens, como a Sofia, por exemplo — mas digamos que gosta de se vestir bem. Para isso, compra todos os meses revistas que lê e vê atentamente. É o que está a fazer neste momento com uma amiga.

D. Rosa: O que é que achas deste vestido, Ana?

D. Ana: Hum! Não sei. Não é muito o meu género. Parece-me que prefiro esse: é mais simples e mais prático.

D. Rosa: Realmente é. E estas calças?... Não. Acho que não me ficam bem. São muito largas e eu agora estou mais gorda.

D. Ana: Olha esta saia! Esta sim: é bonita, moderna e fica-me bem, com certeza.

A D. Ana é uma mulher alta, magra e loura, ao contrário da amiga que é mais baixa, um pouco mais forte e morena. No entanto, ambas se interessam por roupa e gostam de trocar impressões.

— Vamos lá escrever!

Compreensão

1. Quem é que gosta de seguir a moda? Porquê?

____

2. Com quem é que a D. Ana está a ver a revista?

____

3. De que é que estão a falar?

____

4. Que género de roupa é que a D. Ana prefere?

____

5. Como é a D. Ana? E a amiga?

____

Escrita 1

1.

O Miguel está sentado numa cadeira. Ele está vestido com uma camisa branca, calças de ganga azuis e tem sapatos pretos. O Miguel é alto, magro e louro.

2.

____
____
____
____
____

3.

4.

5.

Sumário

Objectivos funcionais

Contar de 101 a 1 000 000	
Expressar agrado	«Gosto bastante deste modelo.»
Expressar desagrado	«Não é muito o meu género.»
Expressar indecisão	«Sei lá! Não consigo decidir-me...»
Expressar preferência	«Acho que prefiro esta.»
Oferecer ajuda	«Faz favor de dizer, minha senhora.»
Indicar a ordem numérica	«Qual é a 2.ª refeição do dia?»
Pedir a descrição física	«Como é a D. Ana?»
Fazer a descrição física	«A D. Ana é uma mulher alta, magra e loura...»
Pedir a opinião	«O que é que achas deste vestido, Ana?»
Dar a opinião	«Fica-lhe muito bem.» «Acho que não me ficam bem.»
Perguntar o preço	«Qual é o preço das calças?» «Quanto é?» «Quanto custa um selo...?»
Dizer o preço	«São 15.500$00.» «Custa 70$00.»
Responder a um agradecimento	«De nada.»

Vocabulário

Substantivos, adjectivos e numerais:

alto (adj.)
o andar
antigo (adj.)
apropriado (adj.)
baixo (adj.)
o barulho
bonito (adj.)
a caixa
as calças (de ganga)
a camisa
a camisola
o casaco
o centavo
cento e dois
cento e um
o conto
décimo (10.º)
décimo primeiro (11.º)
décimo segundo (12.º)
o doce
dois mil
dois mil e um
duzentos
duzentos e um

o edifício
o embrulho
o escudo
a Europa
o fim
forte (adj.)
fresco (adj.)
o gabinete (de provas)
o género
gordo (adj.)
o grito
a impressão
o interesse
o jovem
a legenda
louro (adj.)
magro (adj.)
médio (adj.)
as meias
mil
mil e um
o milhão
a moda
o modelo

moderno (adj.)
moreno (adj.)
a mulher
nono (9.º)
novecentos
oitavo (8.º)
oitocentos
a pergunta
prático (adj.)
o preço
o prédio
primeiro (1.º)
o quadrado
quarto (4.º)
quatro mil
quatrocentos
quinhentos
quinto (5.º)
a refeição
a risca
a roupa
a saia
o sapato
a secção

segundo (2.º)
seiscentos
o selo
o serviço (administrativo)
setecentos
sétimo (7.º)
sexto (6.º)
simples (adj.)
o talão
o tamanho
os ténis
terceiro (3.º)
o tom
o tostão
o total
três mil
trezentos
último (adj.)
o vespertino
o vestido
vestido (adj.)
vigésimo (20.º)
o vidro

Expressões:

À vontade.
Com certeza.
De nada.
...digamos...

É melhor.
Está bem.
estar vestido

fazer favor (de)
fazer férias
fazer uma pergunta

o último grito
Sei lá!
trocar impressões

Verbos:

abrir
achar (de)
apetecer
comprar
conseguir
custar
decidir

decidir-se
despir
dever
dirigir-se (a)
dividir
experimentar
importar-se (de)

interessar-se (por)
ler
levantar
mostrar
parecer
partir
perceber

preferir
seguir
servir-se (de)
trocar
ver
vestir
vestir-se

UNIDADE 8

«...o filme já vai começar.»

Áreas gramaticais/Estruturas

Presente do indicativo:	**ir, vir, formas irregulares dos verbos em -ir, verbos em -air**
Conjugação perifrástica:	**ir + infinitivo**
Graus dos adjectivos e advérbios:	**comparativo de superioridade, superlativo absoluto sintético**

Advérbios:	**assim, cá, completamente, depois, depressa, especialmente, logo, mesmo, primeiro**
Conjunções:	**portanto**
Indefinidos:	**alguns, imensa, muita, outra(s), outro, tudo**
Interjeições:	**ufa!**
Interrogativos:	**aonde**
Locuções conjuncionais:	**mais... do que**
Locuções prepositivas:	**depois de**
Preposições:	**até, por**

Diálogo

Steve: E agora? Como é que eu saio daqui?
Desculpe. Podia dizer-me onde fica o Cinema Império, por favor? Estou completamente perdido.

Transeunte: Olhe, vai até ao fim desta rua e corta à esquerda. Depois vai sempre em frente, pelo passeio do lado direito e vê logo o Cinema Império, mesmo ao lado duma pastelaria.

....

Paulo: O Steve nunca mais vem! Estou farto de esperar.

Miguel: Olha o Steve! E vem a correr. Coitado! Até que enfim, Steve!

Steve: Ufa! Estou cansadíssimo. Peço imensa desculpa, mas perco-me sempre em Lisboa.

Sofia: Não faz mal. Vamos mas é entrar, que o filme já vai começar.

Miguel: Vamos! Só faltam três minutos.

— Vamos lá falar!

Apresentação 1

A

Presente do indicativo	
Verbo **ir**	
(eu)	**vou**
(tu)	**vais**
(você, ele, ela)	**vai**
(nós)	**vamos**
(vocês, eles, elas)	**vão**

B

Presente do indicativo	
Verbo **vir**	
(eu)	**venho**
(tu)	**vens**
(você, ele, ela)	**vem**
(nós)	**vimos**
(vocês, eles, elas)	**vêm**

Oralidade 1

1. Eu vou
2. Tu vais
3. Você vai
4. Ele vai
5. Ela vai
6. Nós vamos
7. Vocês vão
8. Eles vão
9. Elas vão

Oralidade 2

1. Eu venho
2. Tu vens
3. Você vem
4. Ele vem
5. Ela vem
6. Nós vimos
7. Vocês vêm
8. Eles vêm
9. Elas vêm

Oralidade 3

1. Os pais dele ____________ (*vir*) cá no próximo mês. Ficam quinze dias e depois ____________ (*ir*) outra vez para os E.U.A..
2. — A que horas ____________ (*vir*) da escola, Rui?
   — ____________ (*vir*) à uma hora e depois ____________ (*ir*) para o treino.
3. — Os tios ____________ (*vir*) cá no Natal?
   — A tia Celeste e os miúdos ____________ (*vir*), mas o tio Fernando não ____________ (*vir*): ____________ (*ir*) para Paris nessa altura.

4. — Mãe, nós __________ (*ir*) ao cinema e portanto __________ (*vir*) mais tarde para casa.
   — Está bem.

5. — Ó Steve! Também __________ (*vir*) ao concerto?
   — Claro que __________ (*ir*).
   — Então __________ (*ir*) todos juntos.

Apresentação 2

A

Presente do indicativo	
Verbos em **-ir**	formas irregulares (eu)
dormir	**durmo**
ouvir	**ouço/oiço**
pedir	**peço**

B

Presente do indicativo		
Verbos em **-air**		
(eu)	ca(~~i~~) sa(~~i~~)	**-io**
(tu)		**-is**
(você, ele, ela)		**-i**
(nós)		**-ímos**
(vocês, eles, elas)		**-em**

Oralidade 4

1. — Então, Steve? Já é tardíssimo.
   — __________ imensa desculpa pelo atraso.
2. — Dormes bem no teu quarto novo?
   — __________ como uma pedra. Nunca __________ barulho nenhum.
3. — Nós ouvimos o noticiário todas as manhãs. E tu?
   — Eu não. Eu __________ música.
4. — Cuidado! Vocês ainda __________ daí.
   — Não __________ nada.
5. — Saem hoje à noite?
   — Eu __________, mas a Sofia não __________, porque tem de estudar.

Apresentação 3

Futuro próximo		
ir + infinitivo		
(eu)	vou	começar partir ter
(tu)	vais	
(você, ele, ela)	vai	
(nós)	vamos	
(vocês, eles, elas)	vão	

Oralidade 5

Exemplo:

Vocês / fazer / logo à noite jantar fora
— ***O que é que vocês vão fazer logo à noite?*** — ***Vamos jantar fora.***

1. Rui / fazer / depois das aulas — ______________________?
   treinar — ______________________.
2. Tu / fazer / logo à tarde — ______________________?
   estudar português — ______________________.
3. Nós / fazer / depois do almoço — ______________________?
   fazer compras — ______________________.
4. O senhor / fazer / amanhã de manhã — ______________________?
   lavar o carro — ______________________.
5. A senhora / fazer / hoje à noite — ______________________?
   ver televisão — ______________________.

Apresentação 4

Graus dos adjectivos e advérbios

A

Normal	Comparativo de superioridade		
alto cedo depressa gordo pequeno	**mais**	alto cedo depressa gordo pequeno	**(do que...)**
bom grande mau	**melhor** **maior** **pior**		

B

Normal	Superlativo absoluto sintético
cansad~~o~~ car~~o~~ ced~~o~~ tard~~e~~ trist~~e~~	+ **-íssimo**
bom	**óptimo**
mau	**péssimo**

N.B.: difícil → **dificílimo**; fácil → **facílimo**.

Oralidade 6

Exemplo:

O mês de Novembro é mais frio do que o mês de Junho. O mês de Junho ***é mais quente do que o mês de Novembro.***

1. A D. Ana é mais magra do que a D. Rosa.
   A D. Rosa ______________________________________

2. A caixa azul é mais pequena do que a caixa preta.
   A caixa preta ______________________________.
3. O filme é pior do que o romance.
   O romance ______________________________.
4. O Miguel é mais alto do que a Sofia.
   A Sofia ______________________________.
5. Às 2.as feiras as aulas começam mais tarde do que às 6.as feiras.
   Às 6.as feiras ______________________________.

Oralidade 7

Exemplo: livro / caro // barato
Este livro é caríssimo. Não tem outro mais barato?

1. pasta / velho // novo ________________. ________________?
2. meias / curto // comprido ________________. ________________?
3. carne / duro // tenro ________________. ________________?
4. sala / escuro // claro ________________. ________________?
5. mala / pesado // leve ________________. ________________?
6. cigarro / forte // suave ________________. ________________?
7. texto / difícil // fácil ________________. ________________?

Apresentação 5

Movimentações	
atravessar	a rua / a avenida / o largo
cortar virar	na Rua... / na Avenida... / no Largo... à esquerda / à direita
ir	em frente pela Rua... / pela Avenida... / pelo Largo... por esta rua / por esta avenida / por este largo pelo passeio do lado direito / esquerdo pelo lado direito / esquerdo da rua / avenida / do largo até ao fim da Rua... / da Avenida... / do Largo...

Oralidade 8

Exemplo:

atravessar/rua//cortar/direita//ir/em frente
Atravessa a rua, corta à direita e vai em frente.

1. ir / fim / avenida // virar / esquerda

____

2. ir / passeio / lado direito // atravessar / largo

____

3. atravessar / rua // cortar / Avenida de Roma

____

4. ir / lado esquerdo / rua // virar / esquerda // atravessar / rua

____

5. ir / em frente / esta avenida // cortar / segunda / direita

____

Oralidade 9

Exemplo: Vai ***por*** esta rua e corta ***à*** direita.

1. Vai _______ _______ fim _______ avenida _______ lado direito _______ passeio.
2. Vira _______ esquerda _______ Rua Garrett e depois vai sempre _______ frente.
3. Corta _______ primeira _______ direita e vai _______ passeio _______ lado esquerdo.
4. Atravessa a avenida, segue sempre _______ frente _______ _______ fim _______ rua.
5. Segue _______ esta rua, vira _______ segunda _______ esquerda e depois logo _______ direita.

Oralidade 10

Exemplo: No fim da rua ***corta*** à direita.

1. _______ esta avenida e _______ em frente.
2. _______ à esquerda e _______ até ao fim da rua.
3. _______ pelo passeio do lado direito e _______ na primeira à direita.
4. _______ o largo e _______ por essa avenida.
5. _______ pelo lado esquerdo da rua, _______ à esquerda e _______ sempre em frente.

Texto

O Miguel e a Sofia estão a fazer planos para o fim-de-semana. Eles querem mostrar alguns locais de interesse ao Steve.

Steve: Então aonde é que vamos amanhã?

Miguel: Eu e a Sofia vamos levar-te a Sintra.

Steve: Como é que vamos?

Miguel: Vamos de carro. Vou pedir o carro emprestado ao meu pai e vamos de manhã, bem cedinho.

Sofia: Óptimo! Assim podemos almoçar lá e depois do almoço vamos dar uma volta pelo Guincho até Cascais. O que é que acham do programa?

Todos concordam com a ideia da Sofia, especialmente o Steve que está desejoso de conhecer sítios novos e este passeio vem mesmo a calhar.

No domingo, decidem ir à Costa da Caparica e passar lá o dia. Desta vez, convidam também o Paulo e a irmã.

— Vamos lá escrever!

Compreensão

1. O que é que o Miguel e a Sofia estão a fazer? Porquê?

____

2. Aonde é que eles vão no sábado?

____

3. Como é que eles vão para Sintra?

____

4. O que é que vão fazer no domingo?

____

5. Quem é que vai com eles?

____

Escrita 1

Complete com *achar, almoçar, chegar, conhecer, decidir, estar, ir* (4 ×), *levar, ouvir, sair, ser* (2 ×), *ver.*

O Miguel e a Sofia vão __________ o Steve a Sintra. Como o Steve ainda não __________ a vila, __________ que é uma óptima ideia.

No sábado de manhã __________ cedo de casa e __________ a Sintra pelas dez horas. __________ primeiro tomar um café e comer as famosas queijadinhas. Depois, __________ ir ao castelo. __________ a pé até lá, porque a paisagem __________ realmente bonita. O Steve __________ tudo com muita atenção e __________ as histórias que o Miguel lhe conta.

__________ quase uma hora e já __________ todos cheios de fome. __________ a um pequeno restaurante e __________ lá.

À tarde __________ visitar outros locais.

Escrita 2

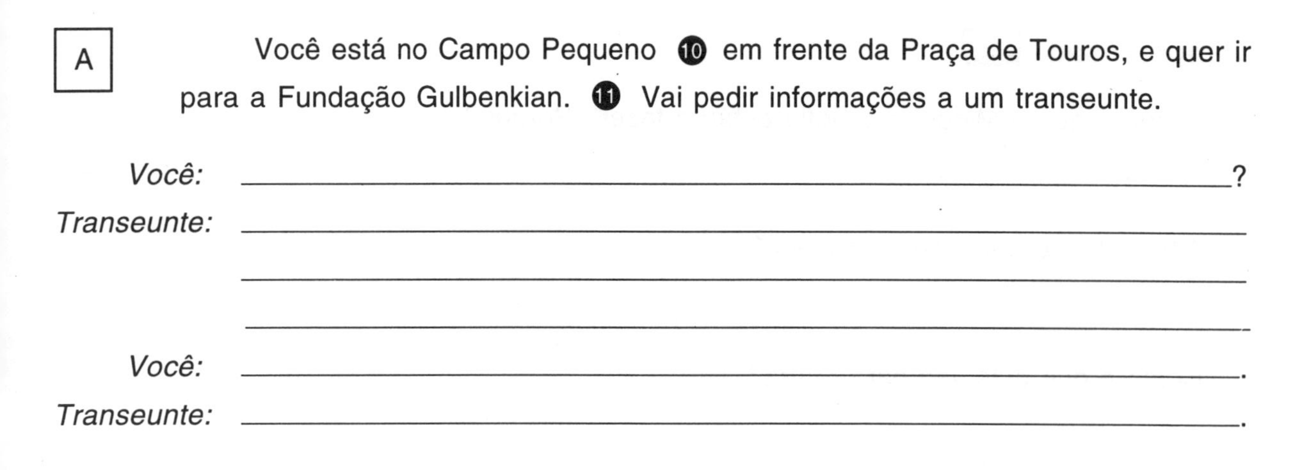

A Você está no Campo Pequeno ⑩ em frente da Praça de Touros, e quer ir para a Fundação Gulbenkian. ⑪ Vai pedir informações a um transeunte.

Você: ______________________________?

Transeunte: ______________________________

____

____

Você: ______________________________.

Transeunte: ______________________________.

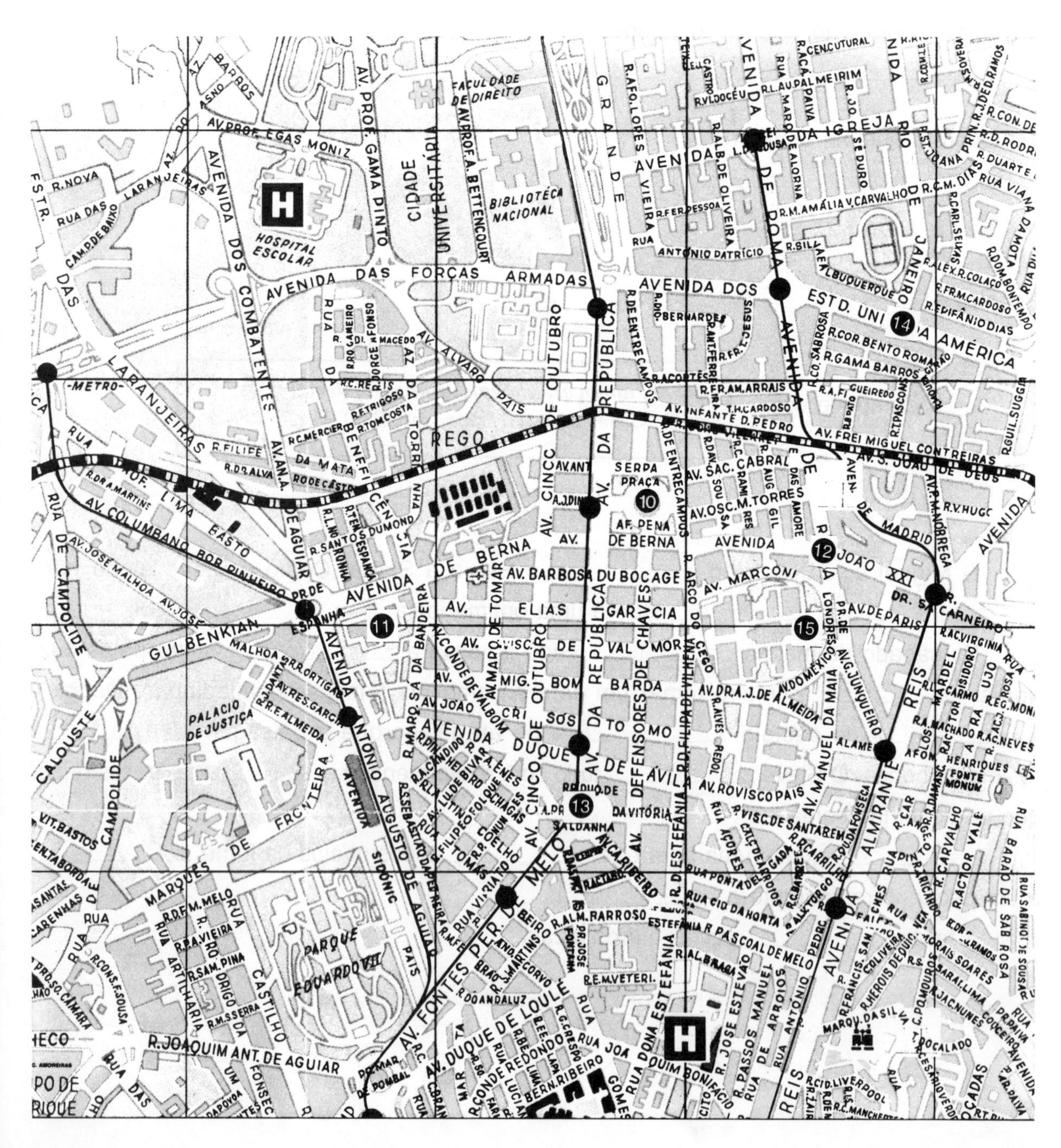

B

Agora você está na Av. João XXI ⑫ e quer ir para a Praça de Saldanha. ⑬ Como não sabe onde é, pergunta a um polícia.

Você: ______ . ______
______
______
______?

Polícia: ______ . ______
______
______
______.

Você: ______
______
______.

Polícia: ______
______.

C

Hoje você quer ir para a Av. E.U.A. ⑭ Está na Praça de Londres ⑮ e está completamente perdido. Por isso pergunta o caminho a um transeunte.

Você: ______ . ______
______
______
______?

Transeunte: ______ . ______
______
______
______.

Você: ______
______
______.

Transeunte: ______
______.

Sumário

Objectivos funcionais

Avisar alguém	«Cuidado!»
Dar ênfase	«Vamos mas é entrar...»
Expressar impaciência	«Estou farto de esperar.»
Expressar pena	«Coitado!»
Expressar satisfação	«Óptimo!»
Fazer comparações	«O Miguel é mais alto do que a Sofia.» «Este livro é caríssimo. Não tem outro mais barato?»
Fazer planos	«Vamos dar uma volta pelo Guincho...»
Pedir / Aceitar } desculpas	«Peço imensa desculpa pelo atraso...» «Não faz mal.»
Perguntar / Dizer } onde fica	«Podia dizer-me onde fica o Cinema Império, por favor?» «Olhe, vai até ao fim desta rua e corta à esquerda.»

Vocabulário

Substantivos e adjectivos:

a altura
a atenção
o atraso
a avenida
a Av. E.U.A.
a Av. João XXI
barato (adj.)
a caixa
o caminho
o Campo Pequeno
cansado (adj.)
caro (adj.)
Cascais
o castelo
o cigarro
o cinema
coitado (adj.)
as compras
comprido (adj.)
o concerto

a Costa da Caparica
curto (adj.)
desejoso (adj.)
difícil (adj.)
a direita
direito (adj.)
duro (adj.)
a esquerda
esquerdo (adj.)
fácil (adj.)
famoso (adj.)
farto (adj.)
a Fundação Gulbenkian
o Guincho
a história
a ideia
a informação
o lado
o largo

leve (adj.)
o local
maior (adj.)
a mala
mau (adj.)
melhor (adj.)
o miúdo
a música
o noticiário
a paisagem
Paris
o passeio
a pastelaria
a pedra
perdido (adj.)
pesado (adj.)
péssimo (adj.)
pior (adj.)
o plano
o polícia

a Praça { de Londres / de Touros / do Saldanha }
o programa
a queijadinha
quente (adj.)
o romance
a rua
Sintra
o sítio
a situação
suave (adj.)
tenro (adj.)
o texto
o transeunte
triste (adj.)
a vez
a vila
a volta

Expressões:

a pé Até que enfim! Coitado! Cuidado! dar uma volta (por)	dormir como uma pedra estar { desejoso (de) / farto (de) / perdido } fazer compras	logo à tarde ... mas é ... Não faz mal. Olhe, ... Óptimo!	pedir { desculpa / emprestado } Podia... vir a calhar

Verbos:

atravessar cair concordar (com) contar convidar	cortar dormir entrar esperar faltar	ir lavar ouvir pedir perder-se	perguntar sair vir virar visitar

Áreas gramaticais/Estruturas

Presente do indicativo:	**dar, pôr**
Indefinidos variáveis:	**algum, alguma(s), alguns, nenhum, nenhuma(s), nenhuns, muito(s), muita(s), pouco(s), pouca(s), todo(s), toda(s), outro(s), outra(s)**
Indefinidos invariáveis:	**alguém, ninguém, tudo, nada**
Advérbios:	**ainda, já**
Imperativo (afirmativo):	**verbos regulares**

Interjeições: **pronto!**
Locuções adverbiais: **em seguida**
Locuções prepositivas: **junto a**

Diálogo

Mãe: Vá lá Sofia, despacha-te!
Sofia: Espere aí, mãe! Não encontro a lista das compras.
Mãe: Nunca sabes onde pões as coisas... Vê lá em cima da mesa da cozinha.
Sofia: Pronto! Está aqui tudo. Onde é que vamos primeiro?
Mãe: Precisamos de ir à praça comprar peixe, legumes e fruta.
Sofia: Também é preciso ir ao talho, porque já não há carne nenhuma.
Mãe: Bom, ainda há bifes, mas só dão para uma refeição.
Sofia: Temos de ir à padaria e à mercearia?
Mãe: Vamos antes ao supermercado e fazemos lá o resto das compras.

— Vamos lá falar!

Apresentação 1

A

Presente do indicativo	
Verbo **dar**	
(eu)	**dou**
(tu)	**dás**
(você, ele, ela)	**dá**
(nós)	**damos**
(vocês, eles, elas)	**dão**

B

Presente do indicativo	
Verbo **pôr**	
(eu)	**ponho**
(tu)	**pões**
(você, ele, ela)	**põe**
(nós)	**pomos**
(vocês, eles, elas)	**põem**

Oralidade 1

1. Eu dou
2. Tu dás
3. Você dá
4. Ele dá
5. Ela dá
6. Nós damos
7. Vocês dão
8. Eles dão
9. Elas dão

Oralidade 2

1. Eu ponho
2. Tu pões
3. Você põe
4. Ele põe
5. Ela põe
6. Nós pomos
7. Vocês põem
8. Eles põem
9. Elas põem

Oralidade 3

1. A D. Ana__________ a mesa para o pequeno-almoço. (*pôr*)
2. Eles __________ uma festa no sábado para festejar os anos da Sofia. (*dar*)
3. Onde é que eu __________ as compras? (*pôr*)
4. O Steve já não __________ muitos erros em português. (*dar*)
5. Porque é que vocês não __________ os sacos no chão? (*pôr*)
6. Sou professora e __________ aulas numa escola de línguas. (*dar*)

Apresentação 2

A

	Indefinidos variáveis			
	singular		plural	
	masculino	feminino	masculino	feminino
pessoas ou coisas	**algum**	**alguma**	**alguns**	**algumas**
	nenhum	**nenhuma**	**nenhuns**	**nenhumas**
	muito	**muita**	**muitos**	**muitas**
	pouco	**pouca**	**poucos**	**poucas**
	todo	**toda**	**todos**	**todas**
	outro	**outra**	**outros**	**outras**

B

	Indefinidos invariáveis	
pessoas	**alguém**	**ninguém**
coisas	**tudo**	**nada**

Oralidade 4

1. Na biblioteca da escola há **muitos** livros. Estão lá sempre **muitos** alunos a estudar.
2. Vou ao supermercado, porque há **pouco** leite. A esta hora há lá **pouca** gente a fazer compras.
3. Não gosto deste livro. Vou ler **outro**.
4. Não há **outra** pessoa para fazer este trabalho?
5. — Há **algum** exercício para corrigir?
   — Não, não há **nenhum**.
6. — Tens **algum** amigo no Canadá, Steve?
   — Não, não tenho lá **nenhum** amigo.
7. A D. Ana vai à praça **todas** as semanas.
8. **Toda** a família se reúne no Natal em casa da avó.
9. — Está **alguém** no escritório?
   — Não. À noite não está lá **ninguém**.
10. — Não fazes **nada**, Rui! Tenho de fazer sempre **tudo** sozinha.

Oralidade 5

1. O Jorge tem pouco dinheiro, mas o pai dele tem ____________.

2. — Sabes se está alguém em casa?
— Acho que não está lá ________.
3. — Tens aí as compras todas?
— Sim, está aqui ________ neste saco.
4. — Consegues ver alguma coisa daí?
— Não, não vejo ________ .
5. — Esta camisola fica-me grande. Não tem ________ mais pequena?

Apresentação 3

A

Pergunta	Resposta	
afirmativa	afirmativa (=)	negativa (≠)
Ainda...?	Sim, **ainda**...	Não, **já não**...
Já...?	Sim, **já**...	Não, **ainda não**...

B

Pergunta	Resposta	
negativa	negativa (=)	afirmativa (≠)
Ainda não...?	Não, **ainda não**...	Sim, **já**...
Já não...?	Não, **já não**...	Sim, **ainda**...

Oralidade 6

1. — **Ainda** há pão?
— Sim, **ainda** há algum // Não, **já não** há nenhum.
2. — **Já** falas bem português?
— Sim, **já** falo alguma coisa // Não, **ainda não** falo muito bem.
3. — **Ainda não** conheces o Steve?
— Não, **ainda não** conheço. // Sim, **já** conheço.
4. — **Já não** há fruta?
— Não, **já não** há nenhuma. // Sim, **ainda** há alguma.

Oralidade 7

Exemplo:
— Ainda há leite no frigorífico?
— Não, ***já*** não há nenhum.

1. — Ainda está alguém na casa de banho?
— Não, ______ não está lá ninguém.
2. — Já consegues ler as legendas todas?
— Sim, ______ consigo ler tudo.
3. — Já sabes bem a lição?
— Não, ______ não sei muito bem.
4. — Ainda não sabes as notas?
— Não, ______ não sei.
5. — Ainda há maçãs?
— Não, ______ não há nenhumas.
6. — Já não temos café?
— Sim, ______ temos algum.
7. — Ainda há bananas?
— Sim, ______ há algumas.
8. — Ainda não conhecem a Teresa?
— Sim, ______conhecemos.

Apresentação 4

A

Presente do indicativo	Imperativo (afirmativo)		
	Verbos em **-ar**		
	singular		plural
	formal	informal	formal e informal
(eu) fal~~o~~	Fal**e**!		Fal**em**!
(ele) fala		Fala	

B

Presente do indicativo	Imperativo (afirmativo)		
	Verbos em **-er** e **-ir**		
	singular		plural
	formal	informal	formal e informal
(eu) com~~o~~ / abr~~o~~	Com**a**! / Abr**a**!		Com**am**! / Abr**am**!
(ele) come / abre		Come! / Abre!	

Oralidade 8

Exemplo:

— Está aqui muito calor.
abrir / janela
— ***Abre a janela***.

1. — Estamos cheios de sede.
beber / sumo de laranja
— ____________________________.

2. — Tenho frio.
vestir / casaco, mãe
— ____________________________.

3. — Estou cheia de fome.
comer / fatia de bolo, Sofia
— ____________________________.

4. — Precisa de ajuda, mãe?
pôr / mesa, se fazes favor
— ____________________________.

5. — Onde ficam os Correios, por favor?
seguir/em frente/e/virar/à esquerda
— ____________________________.

6. — Posso falar-lhe?
entrar / e / fechar / porta, por favor
— ____________________________.

7. — Sabes onde está o meu jornal, Rui?
ver / sala, pai
— ____________________________.

8. — Qual é o trabalho de casa?
fazer / exercícios / página 55
— ____________________________.

9. — Vamos experimentar o vídeo novo.
ler / primeiro / instruções
— ____________________________.

10. — Vou à rua. Quer alguma coisa?
trazer/pacote de leite, se não te importas
— ____________________________.

11. — Estou com calor.
despir / a camisola, Rui
— ____________________________.

12. — Vamos a uma festa.
vir / cedo, meninos
— ____________________________.

13. — Não sei onde fica a rua.
pedir / informações a um polícia
— ____________________________.

14. — Vamos ao supermercado. Queres alguma coisa?
comprar / pão e leite
— ____________________________.

15. — Estou cheio de sono.
ir / dormir, Rui
— ______________________________.

16. — Vou estudar.
desligar / a televisão, Sofia
— ______________________________.

17. — Onde fica a farmácia?
atravessar / rua e cortar / à direita
— ______________________________.

18. — Precisa de alguma coisa, D. Ana?
aquecer / jantar, por favor
— ______________________________.

19. — O Miguel está ao telefone, mãe.
dizer-lhe / para não chegar tarde
— ______________________________.

20. — Podemos sair?
ouvir / primeiro o que eu vou dizer
— ______________________________.

Texto

A Sofia e a mãe estão na praça, junto à banca do peixe.

Peixeira: Ó freguesa, olhe para esta maravilha de pescada!
D. Ana: A como é o quilo?
Peixeira: A 2.500$00, mas é muito branquinha.
D. Ana: Então veja lá quanto pesa essa aí.
Peixeira: Tem 1,200 kg. Vai inteira ou corto para cozer?
D. Ana: Para cozer, mas em postas pequenas. Quanto é?
Peixeira: Faço já a conta... São 3.000$00.
D. Ana: Faz favor.
Peixeira: Aqui tem o seu troco e muito obrigada.

Em seguida, enquanto a D. Ana vai à banca dos legumes comprar dois quilos de cenouras, duas alfaces, um molho de agriões e uma couve portuguesa, a Sofia dirige-se à banca da fruta e compra um quilo de pêras, um cacho de bananas e um ananás dos Açores.

— Vamos lá escrever!

Compreensão

1. Onde estão a Sofia e a mãe?
____

2. O que é que vão comprar?
____

3. Quanto custa o quilo da pescada?
____

4. A D. Ana leva a pescada inteira ou às postas?
____

5. O que é que ainda precisam de comprar?
____

Escrita 1

Complete os diálogos de acordo com o texto:

A Na banca dos legumes

D. Ana: _______________ das cenouras?

Vendedora: A 50$00 o quilo, minha senhora.

D. Ana: Então _______________.

Vendedora: Que mais vai ser?

D. Ana: _______________ estas duas _______________, um _______________ e aquela _______________.

Vendedora: São 350$00 tudo.

D. Ana: _______________.

Vendedora: Aqui tem _______________.

B Na banca da fruta

Vendedora: Que deseja, menina?

Sofia: _______________ de peras.

Vendedora: _______________?

Sofia: Sim. Veja lá _______________ aquele cacho _______________ _______________.

Vendedora: _______________. É muito?

Sofia: Não, _______________. Também _______________.

Vendedora: Mais alguma coisa?

Sofia: _______________, obrigada. _______________ a conta, por favor.

Sumário

Objectivos funcionais

Aconselhar	«Leiam primeiro as instruções.»
Dar ênfase	«Vê lá em cima da mesa da cozinha.»
Dar ordens	«Despacha-te, Sofia!»
Expressar impaciência	«Vá lá!»
Fazer pedidos	«Traz-me um pacote de leite, se não te importas.»
Oferecer ajuda	«Precisa de ajuda, mãe?»
Perguntar } o preço	«A como é o quilo?»
Dizer } o preço	«A 2.500$00.»
Recomendar	«Bebam qualquer coisa.»

Vocabulário

Substantivos e adjectivos:

os Açores	a cenoura	a lição	a pessoa
os agriões	o chão	a lista	a posta
a ajuda	a couve	a maçã	a praça
a alface	o dinheiro	a maravilha	o quilo(grama) (Kg)
o ananás	o erro	o menino	o resto
a banana	a fatia	a mercearia	o saco
a banca	o freguês	o molho	a sede
a biblioteca	o frio	o pacote	sozinho (adj.)
branquinho (adj.)	a fruta	a padaria	o talho
o cacho	a gente	a página	o trabalho
o calor	as instruções	a peixeira	o troco
o Canadá	inteiro (adj.)	a pera	o vendedor
a casa de banho	os legumes	a pescada	o vídeo

Expressões:

A como é o quilo?	estar cheio de sede	ser preciso	
dar aulas	fazer a conta	ter frio	
dar erros	pôr a mesa	Vá lá,...	
dar uma festa			

Verbos:

corrigir	despachar-se	pesar	precisar de
cozer	encontrar	pôr	reunir-se
dar	olhar (para)		

Áreas gramaticais/Estruturas

Imperativo (afirmativo):	**verbos irregulares**
Preposições:	**a, para (+ verbos de movimento), de, em (+ meios de transporte)**

Advérbios:	**aproximadamente**
Locuções adverbiais:	**de costume, de preferência**
Locuções prepositivas:	**por volta de**
Preposições:	**durante**

Diálogo

No escritório onde a D. Ana trabalha

D. Ana: Bom dia, Dr. Lemos.

Dr. Lemos: Bom dia, D. Ana. Dê-me o processo n.º 72 e chegue aqui ao meu gabinete, se não se importa.

....

D. Ana: Faça favor de dizer, senhor doutor.

Dr. Lemos: Preciso de ir amanhã ao Porto. Vou ter uma reunião com os nossos principais clientes.

D. Ana: Vou já tratar das reservas. Como é que quer ir?

Dr. Lemos: Bom, tenho de estar lá por volta das 09:30. Portanto, ou vou de comboio hoje à noite ou, de preferência, de avião amanhã de manhã.

D. Ana: De avião deve ser difícil, mas vou tentar. Quando é que pretende regressar?

Dr. Lemos: Volto logo no dia seguinte.

D. Ana: Então, marco-lhe quarto para uma ou duas noites no hotel do costume.

— Vamos lá falar!

Apresentação 1

	Imperativo (afirmativo)		
	singular		plural
	formal	informal	formal e informal
dar	**Dê!**	Dá!	**Dêem!**
estar	**Esteja!**	Está!	**Estejam!**
ir	**Vá!**	Vai!	**Vão!**
ser	**Seja!**	**Sê!**	**Sejam!**

Oralidade 1

1. ____________ -me o processo n.º 72, por favor, D. Ana (*dar*)
2. ____________ quietos, meninos! (*estar*)
3. ____________ atenção, se não se importam! (*dar*)
4. ____________ bem-vindo a Portugal, Steve! (*ser*)
5. ____________ à agência de viagens levantar os bilhetes, Sr. Pinto. (*ir*)
6. ____________ à porta do cinema às 21:00, mãe (*estar*)
7. ____________ buscar os vossos casacos. (*ir*)

Apresentação 2

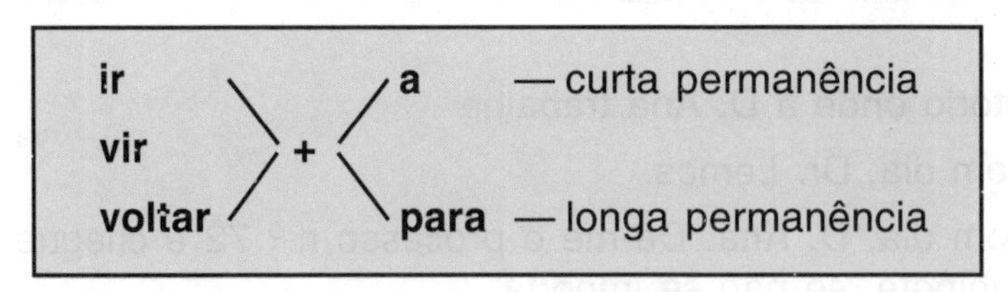

Oralidade 2

1. O Dr. Lemos **vai ao** Porto na quarta-feira.
2. O Sr. Marques **vai** viver **para** o Porto.
3. A D. Ana **vai a** casa almoçar.
4. Às 18:00 **vai para** casa.
5. Em Agosto **vou à** Madeira passar férias.
6. Em Setembro o Steve **vai para** os E.U.A..
7. Depois do Natal, os tios do Miguel **voltam para** Faro.
8. Ele vai **voltar a** Lisboa dois anos mais tarde.
9. Ele **vem a** Lisboa visitar os amigos.
10. Ele **vem para** Lisboa estudar.

Oralidade 3

1. O Rui vai ______ casa buscar o casaco.
2. Quando é que voltas ______ Boston, Steve?
3. Já não há pão. Vou ______ padaria.
4. Queres ir ______ cinema?
5. O Miguel vai ______ os E.U.A. estudar.
6. Vou ______ Correios comprar selos.

Apresentação 3

A | **de + meios de transporte**

Oralidade 4

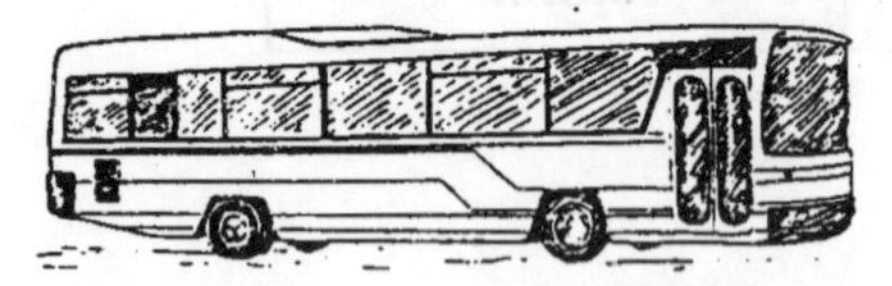

1. Eles vão à Costa da Caparica **de camioneta**.

2. Gosto muito de viajar **de barco**.

3. A Sofia vai ao médico **de táxi**.

4. O Steve vai para a Estrela **de eléctrico**.

5. Para a Baixa, prefiro ir **de metropolitano**. **N.B.: a pé, à boleia.**

B 

em + meios de transporte (determinado)

Oralidade 5

1. Eles vão sair **no carro do pai**.

2. O Dr. Lemos vai **no comboio das 19:30**.

3. Prefiro voltar **no avião da TAP**.

4. Daqui para a Estrela, tem de ir **no autocarro n.º 27**.

5. Queres andar **na minha mota nova**, Miguel?

Oralidade 6

Exemplo:

Sr. Santos / ir para o emprego / carro
O Sr. Santos vai para o emprego de carro.

1. Steve / voltar para os E.U.A. / avião

____.

2. Eu / seguir já / este táxi

____.

3. Paulo / ir para a escola / pé

____.

4. Eles / voltar / comboio das 20:30

____.

5. Nós / ir / carro dele

____.

Apresentação 4

Necessidade	Obrigatoriedade	Probabilidade
precisar de **ser preciso** **ter de / que**	**ter de / que**	**dever**

Oralidade 7

1. O Dr. Lemos **precisa do** processo n.º 72
2. **Precisa de** ir amanhã ao Porto.
3. **Tem de / que** estar lá por volta das 09:30.
4. **É preciso** tratar das reservas.
5. **Deve** ser difícil ir de avião.
6. A D. Ana **tem de / que** telefonar já para a agência de viagens.

Oralidade 8

1. — De quem é esta gramática?
   — ________________ ser do Steve.
2. — Vais ao banco?
   — Sim, ________________ cheques.
3. — Já não há café.
   — Pois não. ________________ ir ao supermercado.
4. — O pai já está em casa?
   — Ainda não, mas ________________ estar a chegar.
5. — Mãe, posso levar hoje o carro?
   — Não sei. ________________ pedir ao teu pai.
6. — Senhor doutor, já não é possível ir de avião.
   — Então, ________________ ir de comboio.

Texto

A D. Ana vai telefonar para a agência para tratar da viagem do Dr. Lemos.

Empregado: Estou sim? Agência de viagens, bom dia.

D. Ana: Bom dia. Fala de A. Lemos, Lda. O nosso director-geral tem de estar amanhã cedo no Porto e pretende regressar no dia seguinte.

Empregado: Como é que deseja ir?

D. Ana: De preferência no primeiro avião da manhã.

Empregado: Só um minuto, que eu vou já verificar... Lisboa/Porto de avião já não vai ser possível. Tem de ir hoje à noite de comboio, mas pode regressar amanhã às 19:30 no vôo 702 da TAP.

D. Ana: Então marque, por favor, no Hotel Porto Atlântico em nome de Dr. António Lemos, uma noite em quarto individual, com pequeno-almoço incluído.

Empregado: Com certeza. Dentro de meia-hora aproximadamente confirmo-lhe as reservas e mando aí alguém entregar.

D. Ana: Obrigada. Faça o favor de enviar a factura para a empresa, como de costume.

— Vamos lá escrever!

Compreensão

1. Para onde é que a D. Ana vai telefonar? Porquê?

___

2. Como é que o Dr. Lemos vai viajar?

___

3. Onde é que ele vai ficar? Durante quanto tempo?

___

4. A D. Ana vai buscar as reservas à agência?

___

5. É a primeira vez que a empresa trabalha com esta agência? Justifique com uma frase do texto.

___

Escrita 1

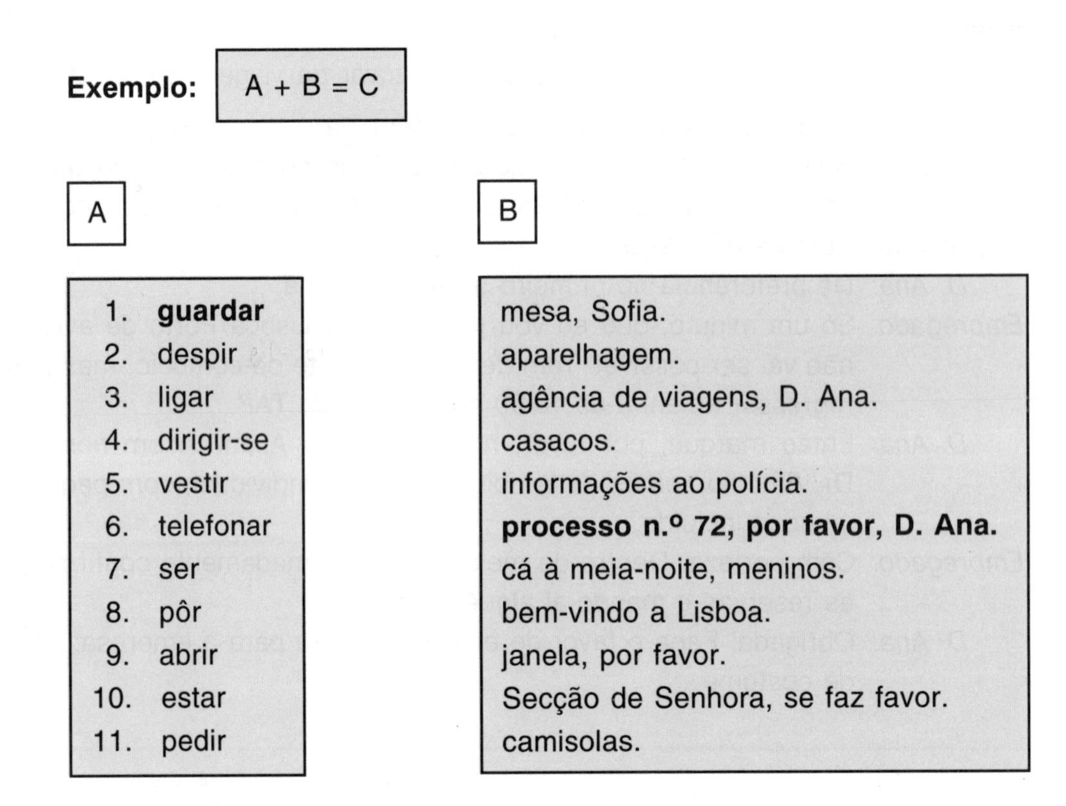

Exemplo: A + B = C

A

1. **guardar**
2. despir
3. ligar
4. dirigir-se
5. vestir
6. telefonar
7. ser
8. pôr
9. abrir
10. estar
11. pedir

B

mesa, Sofia.
aparelhagem.
agência de viagens, D. Ana.
casacos.
informações ao polícia.
processo n.º 72, por favor, D. Ana.
cá à meia-noite, meninos.
bem-vindo a Lisboa.
janela, por favor.
Secção de Senhora, se faz favor.
camisolas.

C

1. *Guarde o processo n.º 72, por favor, D. Ana.*
2. ______________________________
3. ______________________________
4. ______________________________
5. ______________________________
6. ______________________________
7. ______________________________
8. ______________________________
9. ______________________________
10. ______________________________
11. ______________________________

Escrita 2

Complete com: ***vai / a / cansado / estar / aeroporto / de / chega / à / tem / às / ser / reunião / para / seguinte / porque***

O Dr. Lemos ________ ao Porto ________ 23:30 e vai ________ táxi ________ o hotel. Deita-se logo ________ está ________ da viagem e o dia ________ vai ________ muito ocupado: tem ________ toda ________ manhã, ________ tarde ________ visitar a fábrica e às 18:30 ________ de ________ no ________.

Sumário

Objectivos funcionais

Expressar { necessidade	«Preciso de ir amanhã ao Porto.»
Expressar { obrigatoriedade	«... tenho de estar lá por volta das 09:30.»
Expressar { probabilidade	«De avião deve ser difícil...»
Falar de meios de transporte	«Como é que quer ir?» «O Dr. Lemos vai ao Porto de comboio.»
Tratar de reservas	«Então marque, por favor, no Hotel Porto Atlântico em nome de Dr. António Lemos, uma noite em quarto individual com pequeno-almoço incluído.» «Dentro de meia-hora, aproximadamente, confirmo--lhe as reservas.»
Usar o telefone	«Estou sim? Agência de viagens, bom dia.» «Bom dia. Fala de A. Lemos, Lda.»

Vocabulário

Substantivos e adjectivos:

o aeroporto	o comboio	a gramática	possível (adj.)
a agência	o costume	o hotel	principal (adj.)
o avião	o doutor (Dr.)	incluído (adj.)	o processo
a Baixa	o eléctrico	individual (adj.)	a reserva
o barco	o emprego	Lda. (limitada)	a reunião
o bilhete	a Estrela	a Madeira	seguinte (adj.)
a boleia	a fábrica	o metropolitano (metro)	o táxi
a camioneta	a factura	o número (n.º)	a viagem
o cheque	a frase	ocupado (adj.)	o vôo
o cliente	geral (adj.)		

Expressões:

dar atenção	estar quieto	ir buscar	ser possível

Verbos:

confirmar	justificar	regressar	verificar
entregar	mandar	telefonar (para)	viajar
enviar	marcar	tentar	voltar
guardar	pretender	tratar (de)	

REVISÃO 6/10

I - Complete com: **estar, ficar, ser**

1. ____________ muito bonita. Essa camisola ____________-lhe muito bem.
2. Os rissóis aqui ____________ óptimos.
3. O Dr. Lemos ____________ de Lisboa, mas hoje ____________ no Porto.
4. Vamos! Já ____________ tarde.
5. — Quantos ____________ vocês?
   — ____________ doze.
6. Estes bolos hoje ____________ muito bons.
7. — Vamos sair?
   — Não, ____________ muito cansado. ____________ em casa.
8. Hoje ____________ muito frio.
9. — Que horas ____________?
   — ____________ meio-dia.
10. Este exercício não ____________ muito difícil.

II - Complete com: **conhecer, conseguir, poder, saber**

1. Fala mais alto! Não ____________ ouvir nada.
2. Vocês ainda não ____________ o Algarve?
3. ____________ levar o seu carro hoje à noite?
4. ____________ falar português?
5. Eles ainda não ____________ os pais do Steve.
6. O Rui ____________ andar bem de bicicleta.
7. ____________ estudar com barulho?
8. A Sofia não ____________ sair, porque tem de estudar.
9. O Steve e o Miguel ____________ jogar ténis muito bem.
10. Nós não ____________ perceber este texto. É muito difícil.

III - Ponha os verbos na forma correcta:

1. ____________ (*dizer*) à mãe que nós hoje ____________ (*vir*) mais tarde, porque ____________ (*ir*) primeiro ao clube.
2. ____________(*despir*) os casacos, ____________ (*pôr*) aí as pastas e ____________ (*vir*) já para a mesa.
3. ____________(*dar*) -me os vossos cadernos. Eu ____________ (*querer*) ____________(*ver*) se ____________ (*estar*) tudo bem.
4. ____________(*ler*) esse texto com atenção e ____________ (*ver*) se ____________ (*conseguir*) ____________ (*compreender*) tudo.
5. Enquanto eu ____________ (*fazer*) o almoço, ____________ (*ir*) à rua e ____________ (*trazer*) mais pão que já ____________ (*haver*) pouco.
6. Eu já não ____________ (*lembrar-se*) como é que ele ____________ (*chamar-se*).

IV - Qual a expressão correcta?

Até amanhã	**Desculpe**
Até logo	**Faz favor**
Boa noite	**Muito obrigado**
Com certeza	**Por favor**
De nada	**Se não se importa**

1. — Posso entrar?
   — ________________.
2. — Dê-me o processo n.º 72, D. Ana.
   — ________________.
3. — Traga-me a conta, ________________.
4. — ________________. Podia dizer-me onde ficam os Correios?
5. — Tem de se dirigir à Secção de Senhora, ________________.
6. — Muito obrigado.
   — ________________.
7. — Aqui tem o seu troco.
   — ________________.
8. A família Santos vai jantar fora.
   Empregado: ________________. Têm mesa reservada?
9. — Vou almoçar, D. Ana. Estou cá por volta das 15:00.
   — Então, ________________, senhor doutor.
10. — Vou sair. Já não volto hoje.
    — Então, ________________.

V - Complete com preposições (com ou sem artigo):

1. A Rita e o João fazem anos ____ Verão.
   Ele faz anos ____ 15 ____ Julho e ela ____ Agosto, ____ dia 10.
2. A D. Ana e a amiga interessam-se ____ roupa e gostam ____ ver revistas ____ moda.
3. Ele é ____ Lisboa, mas está ____ viver ____ Porto, ____ casa ____ avós.
4. Vá sempre ____ frente, corte ____ primeira ____ direita e depois siga ____ essa rua ____ largo.
5. Ele vai ____ a escola ____ autocarro, mas ela vai ____ pé.

VI - Complete com:

alguém, alguma, muitos, nada, nenhuma, ninguém, outra, pouca, todos, tudo

1. — Ainda há fruta?
   — Já há ____________, mas ainda há ____________.
2. — Não gosto muito desta camisola. Não tem ____________?
   — Não, não temos mais ____________.
3. — Já sabes ____________?
   — Quem, eu?!? Parece-me é que não sei ____________.
4. — Ainda está ____________ no escritório?
   — Não, a esta hora já não está lá ____________.
5. — Nesta escola há ____________ alunos de português?
   — Sim, e já ____________ falam muito bem.

VII - Complete:

Exemplo:

Este exercício é <u>*facílimo*</u>; é ainda <u>*mais fácil*</u> do que o outro. (*fácil*)

1. O peixe hoje está ____________, mas mesmo assim não está ____________ do que a carne. (*caro*)
2. Os queques aqui são ____________, mas os pastéis de nata ainda são ____________. (*bom*)
3. O dia hoje está ____________, ainda está ____________do que no sábado. (*mau*)
4. Este texto é ____________; é mesmo ____________do que o primeiro. (*difícil*)
5. No domingo tenho de me levantar ____________, ainda ____________ do que durante a semana. (*cedo*)

VIII - Complete com:

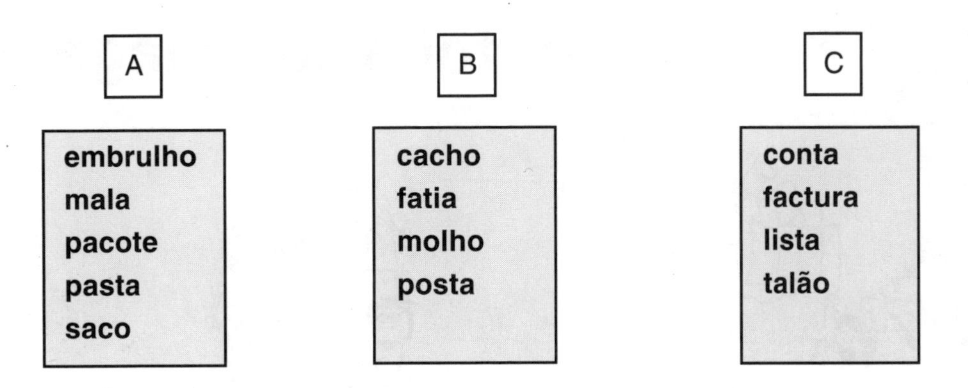

A

1. Se vais à rua, traz-me um ____________ de leite, por favor.
2. Ponham os livros e os cadernos dentro da ____________, se fazem favor.
3. Põe o ____________ das compras em cima da mesa da cozinha.
4. A senhora pode pagar na Caixa e levantar lá o ____________.
5. O Dr. Lemos leva só uma ____________ para a viagem, com a roupa que vai precisar.

B

1. Boa tarde. Queria uma ____________ de pescada cozida.
2. Pode-me pesar aquele ____________ de bananas, por favor?
3. Na banca dos legumes, ela compra um ____________ de agriões.
4. Não queres uma ____________ deste bolo de chocolate?

C

1. Aqui tem o seu ____________, minha senhora.
2. Vamos ao supermercado. Não te esqueças da ____________ das compras.
3. Queria pagar. Pode trazer-me a ____________, por favor.
4. Já está aqui a ____________ da agência de viagens, Dr. Lemos.

UNIDADE 11

«Como foi a tua viagem?»

Áreas gramaticais/Estruturas

Pretérito perfeito simples:	**ir, ser, estar, ter**
Graus dos adjectivos e advérbios:	**comparativo de igualdade e de inferioridade, superlativo relativo de superioridade e de inferioridade, superlativo absoluto analítico**

Advérbios:	**actualmente, anteontem, apenas, infelizmente, ontem, principalmente**

«Há» + expressões de tempo

Indefinidos:	**cada**
Locuções conjuncionais:	**menos... do que, quer... quer, sempre que, tão... como**

Diálogo

Sr. Santos: Já sei que estiveste no Porto. Como foi a tua viagem?

Dr. Lemos: Foi boa, mas muito cansativa. Foi tudo a correr: almoço de negócios, reunião e regresso no mesmo dia.

Sr. Santos: E não foste ver a exposição no Palácio de Cristal?

Dr. Lemos: Não, infelizmente não fui. Já não tive tempo para isso.

Sr. Santos: Eu tenho de ir lá na próxima semana. Porque é que não vens também? Podemos tirar de lá umas ideias interessantes.

Dr. Lemos: Sim, sem dúvida. Mas, nesse caso, um dia ou mesmo dois não chegam. É preferível uma semana inteira.

Sr. Santos: É claro. E, já agora, aproveitamos para assistir à final de futebol. Que tal?

— Vamos lá falar!

Apresentação 1

Pretérito perfeito simples		
Verbos	**ir** /	**ser**
(eu)	**fui**	**fui**
(tu)	**foste**	**foste**
(você, ele, ela)	**foi**	**foi**
(nós)	**fomos**	**fomos**
(vocês, eles, elas)	**foram**	**foram**

Oralidade 1

1. Eu fui
2. Tu foste
3. Você foi
4. Ele foi
5. Ela foi
6. Nós fomos
7. Vocês foram
8. Eles foram
9. Elas foram

Oralidade 2

Exemplo:
— Já foram a Sintra?
— Não, ***nunca lá fomos***. // — Sim, ***já lá fomos***.

1. — Já foi ao Palácio de Cristal?
   — Não, ______________________________.
2. — Já foste à Costa da Caparica?
   — Sim, ______________________________.
3. — O Steve nunca foi a Coimbra, pois não?
   — Não, ______________________________.
4. — Os senhores nunca foram à Feira Internacional de Lisboa?
   — Sim, ______________________________.
5. — Eles já foram ao Castelo de S. Jorge?
   — Não, ______________________________.

Oralidade 3

Exemplo:
— A viagem foi boa?
— Sim, ***foi óptima***. // — Não, ***foi péssima***.

1. — O teste foi fácil?
   — Não, ______________________________.
2. — A reunião foi interessante?
   — Sim, ______________________________.
3. — Os sapatos foram caros?
   — Não, ______________________________.
4. — Foste um bom aluno na Faculdade?
   — Sim, ______________________________.
5. — As vossas férias foram divertidas?
   — Sim, ______________________________.

Oralidade 4

1. Ontem não ____________ trabalhar, mas hoje já vou.
2. A última viagem do Dr. Lemos ao Porto ____________ um pouco cansativa.
3. Vocês ____________ à FIL na semana passada?
4. No ano passado nós ____________ de férias para o estrangeiro.
5. Como ____________ o espectáculo?

Apresentação 2

Pretérito perfeito simples				
Verbos	**estar**	/	**ter**	
(eu)	**estiv**	**e**	**tiv**	**e**
(tu)	**estiv**	**este**	**tiv**	**este**
(você, ele, ela)	**estev**	**e**	**tev**	**e**
(nós)	**estiv**	**emos**	**tiv**	**emos**
(vocês, eles, elas)	**estiv**	**eram**	**tiv**	**eram**

Oralidade 5

1. Eu estive
2. Tu estiveste
3. Você esteve
4. Ele esteve
5. Ela esteve
6. Nós estivemos
7. Vocês estiveram
8. Eles estiveram
9. Elas estiveram

Oralidade 6

1. Eu tive
2. Tu tiveste
3. Você teve
4. Ele teve
5. Ela teve
6. Nós tivemos
7. Vocês tiveram
8. Eles tiveram
9. Elas tiveram

Oralidade 7

Exemplo:

— Estiveram lá anteontem?
— ***Não estivemos***, não. // — ***Estivemos***, sim.

1. — Estiveste com eles no último fim-de-semana?
— ____________________, não.

2. — A D. Ana esteve ontem no escritório?
— ____________________, não.

3. — O senhor esteve na reunião?
— ____________________, sim.

4. — Esteve em casa ontem à noite?
— ____________________, não.

5. — Vocês estiveram lá até tarde?
— ____________________, sim.

6. — Eles estiveram na festa?
— ____________________, não.

Oralidade 8

Exemplo:

— Tiveste problemas no banco?
— ***Não tive***, não senhor. // — ***Tive***, sim senhor.

1. — Vocês tiveram de fazer tudo outra vez?
— ____________________, sim senhor.

2. — A senhora teve problemas na alfândega?
— ____________________, não senhor.

3. — Eles tiveram dificuldade em arranjar bilhetes?
— ____________________, não senhor.

4. — O Dr. Lemos teve muito trabalho no Porto?
— ________________________, sim senhor.

5. — Não tiveste de esperar muito, pois não?
— ________________________, não senhor.

Oralidade 9

1. Ele ____________ com gripe durante o fim-de-semana. ____________ de ficar de cama.
2. Nós já lá ____________ ontem e não ____________ problemas nenhuns.
3. Quem é que ____________ dificuldade em fazer os exercícios?
4. Ontem não ____________ com elas, mas hoje vamos estar.
5. O que é que ____________ a fazer até estas horas, Rui?

Apresentação 3

Graus dos adjectivos e advérbios

Normal	Comparativo					
	igualdade			inferioridade*		
frio longe	**tão**	frio longe	**como**	**menos**	frio longe	**(do) que**

* É pouco usado.

Oralidade 4

Exemplo:
Data de construção da igreja e do museu: 1650.
A igreja é tão antiga como o museu. *(antigo)*
Vida no campo e na cidade: ritmo diferente.
A vida no campo é menos agitada do que na cidade. *(agitado)*

1. Altura do Paulo e do Miguel: 1,75 m.
____. *(alto)*
2. Invernos em Portugal e na Alemanha: temperaturas diferentes.
____. *(rigoroso)*
3. Preço das calças e da saia: 5.750$00/cada.
____. *(caro)*
4. Vinho de mesa e vinho do Porto: diferente graduação.
____. *(graduado)*
5. Área do quarto e da sala: 18 m^2/cada.
____. *(grande)*

B

Normal	Superlativo					
	Relativo				Absoluto	
	superioridade		inferioridade*		analítico	
frio longe	o mais	frio longe	o menos	frio longe	muito	frio longe
bom grande mau	o melhor o maior o pior			bom grande mau		bom grande mau

* É muito pouco usado.

Oralidade 11

Exemplo: O João, o Pedro e o José são todos ***muito altos***: ***o mais alto*** é o José que tem 1,85 m e ***o menos alto*** é o Pedro que tem 1,81 m. (*alto*)

1. As filhas dele são ____________________: ____________________ é a Rita e ____________________, na minha opinião, é a Mafalda. (*bonito*)
2. Os romances dessa escritora são ____________________: o primeiro foi ____________________ e o último até agora foi ____________________ de todos. (*interessante*)
3. Esses miúdos são todos ____________________: ____________________ é o Ricardo que está sempre a inventar coisas e ____________________, mesmo assim, é o Nuno. (*endiabrado*)
4. Os meus professores são todos ____________________: ____________________ é o professor de Matemática e ____________________ é o que dá Ciências. (*simpático*)
5. Ontem o concurso foi ____________________: a primeira parte foi ____________________, a segunda e terceira, mesmo assim, foram ____________________. (*fraco*)

Oralidade 12

Exemplo: O Miguel é mais velho que a Sofia e o Rui; é ***o mais velho*** dos irmãos.

1. Estas uvas são mais doces que aquelas; são ____________________ que eu tenho, minha senhora.
2. As férias foram melhores que no ano passado; foram ____________________ de sempre.

3. Esse filme foi pior que o anterior; foi ____________________ de todos.

4. Ela é melhor que as colegas; é ____________________ da turma.

5. O quarto do Miguel é maior que o do Steve; é ____________________ de todos.

Texto

O Sr. Santos é um grande adepto de desporto: gosta de andebol, basquetebol e, principalmente, de futebol. Actualmente não pratica nenhuma destas modalidades (só joga ténis aos fins-de-semana), mas, enquanto esteve a tirar o curso no Instituto, foi jogador de futebol numa equipa amadora.

Hoje é ainda um espectador assíduo. Sempre que pode, aproveita para assistir a um bom jogo, quer na televisão, quer no próprio local. Há uns anos atrás, por exemplo, o Sr. Santos e o filho mais velho, o Miguel, foram até à Bélgica ver a final da Taça dos Campeões. Na próxima semana, como tem de ir ao Porto em negócios, vai aproveitar para ver o Boavista-Benfica.

— Vamos lá escrever!

Compreensão

1. Qual é o desporto preferido do Sr. Santos?

2. Ainda pratica desporto?

3. Quando é que ele foi jogador de futebol?

4. Quem é que foi até à Bélgica? Fazer o quê?

5. O Sr. Santos vai ao Porto só em trabalho?

Escrita 1

Exemplo:

No ano passado, pelo Natal, estiveram na Grécia.
Estamos em Dezembro.
Estiveram na Grécia há um ano.

1. A Sofia teve exame em Junho.
   Estamos em Outubro.

2. Eles foram para o aeroporto às 10:30.
   São 14:00.

3. No sábado passado estivemos na praia.
   Hoje é terça-feira.

4. Tiveste uma chamada ao meio-dia.
   Agora é meio-dia e meia.

5. Fui a Espanha no dia 25.
   Estamos a 30.

Escrita 2

Exemplo:

amanhã / (nós) ir / ver / jogo
Amanhã vamos ver o jogo.

1. mês passado / eles / estar / doente

   ____.

2. próxima semana / (eu) / ir / estrangeiro

   ____.

3. ontem / não / estar / ninguém / escritório

   ____.

4. eles / ir / viver / Austrália / há duas semanas

   ____.

5. vocês / ter / muito trabalho / ontem / tarde

   ____?

Sumário

Objectivos funcionais

Concordar	«Sim, sem dúvida.» «É claro.»
Convidar	«Porque é que não vens também?»
Falar de acções passadas	«Já sei que estiveste no Porto.»
Fazer comparações	«A igreja é tão antiga como o museu.» «A vida no campo é menos agitada do que na cidade.» «É o mais velho dos irmãos.»
Localizar acções passadas no tempo	«Há uns anos atrás... foram até à Bélgica...» «Estiveram na Grécia há um ano.»
Pedir opinião	«Que tal?»
Reforçar uma declaração	«Tive, sim senhor.» «Não tive, não senhor.»

Vocabulário

Substantivos e adjectivos:

o adepto agitado (adj.) a alfândega amador (adj.) o andebol anterior (adj.) a área assíduo (adj.) a Austrália o basquetebol o Benfica o Boavista o campeão cansativo (adj.) o Castelo de S. Jorge a chamada a cidade	o concurso a construção o curso o desporto a dificuldade divertido (adj.) doce (adj.) doente (adj.) endiabrado (adj.) a equipa o escritor o espectáculo o espectador a exposição a Faculdade a Feira Internacional de Lisboa (FIL)	a final fraco (adj.) a graduação graduado (adj.) a Grécia a gripe a ideia a igreja interessante (adj.) o Instituto o metro (m) o metro quadrado (m^2) a modalidade o museu os negócios a opinião o Palácio de Cristal	passado (adj.) a praia preferido (adj.) preferível (adj.) o problema próprio (adj.) o regresso rigoroso (adj.) o ritmo simpático (adj.) a taça a temperatura o teste a turma a uva a vida

Expressões:

estar com gripe ficar de cama ir { de férias / em negócios / em trabalho	...não senhor. Que tal?	(Sim,) sem dúvida. ser preferível ...sim senhor.	ter { dificuldade (em) / problemas (em) tirar { um curso / ideias

Verbos:

aproveitar assistir (a)	inventar	praticar	tirar

UNIDADE 12

«Os meus pais mandaram-me dinheiro.»

Áreas gramaticais/Estruturas

Pretérito perfeito simples: **verbos regulares em -ar**

Demonstrativos: **o**
Indefinidos: **vários**
Locuções adverbiais: **por último**

Diálogo

D. Ana: Já tomaste o pequeno-almoço, Steve?
Steve: Já, já. Vou ao banco levantar este cheque. Os meus pais mandaram--me dinheiro. Até logo.
D. Ana: Até logo.

....

No banco

Steve: Bom dia. Queria levantar este cheque, por favor.
Empregado: Com certeza. Tem o seu passaporte?
Steve: Tenho. Faz favor.
Empregado: Qual é a sua morada em Portugal?
Steve: Av. de Roma, n.º 182 - 1.º Dt.º, 1700 LISBOA.
Empregado: Agora aguarda na Caixa 2 para receber o dinheiro.
Steve: Onde é a Caixa 2?
Empregado: À direita, ao fundo, onde está aquela bicha.
Steve: Só mais uma coisa. Qual é a cotação do dólar?
Empregado: Está a 160$00.
Steve: Baixou bastante. Obrigado.
Empregado: De nada. Bom dia.

— Vamos lá falar!

Apresentação 1

Pretérito perfeito simples		
Verbos regulares em **-ar**		
(eu)	and	**ei**
(tu)	convid	**aste**
(você, ele, ela)	mand	**ou**
(nós)	tom	**ámos**
(vocês, eles, elas)	troc	**aram**

N. B.: começar → eu come**c**ei, tu começaste,...
ficar → eu fi**qu**ei, tu ficaste,...
pagar → eu pa**gu**ei, tu pagaste,...

Oralidade 1

1. Eu ontem **fiquei** em casa.
2. Tu já **mandaste** a carta, Steve?
3. Você não **trocou** o dinheiro, pois não?
4. Ele **almoçou** com os clientes.
5. Ela **pagou** em dinheiro.
6. Nós **começámos** a trabalhar às 08:30.
7. Vocês **convidaram** alguém?
8. Eles ontem **fecharam** mais tarde.
9. Elas já **estudaram** tudo.

Oralidade 2

1. — ______________ (*acordar*) cedo, Paulo?
   — Sim, ______________ (*acordar*) antes das 08:00, mas só ______________ (*levantar-se*) meia-hora depois.
2. — ______________ (*gostar*) do filme, Sofia?
   — ______________ (*gostar*) imenso.
3. — Já ______________ (*entregar*) os documentos, Sr. Pinto?
   — Ainda não ______________ (*entregar*).
4. — Os teus pais ______________ (*enviar*)-te dinheiro?
   — ______________ (*mandar*)-me um cheque.
5. — Porque é que não me ______________ (*telefonar*)?
   — Porque ______________ (*acabar*) o trabalho muito tarde.
6. — O senhor ______________ (*pagar*) em cheque ou em dinheiro?
   — ______________ (*passar*) um cheque.
7. — ______________ (*gastar*) muito dinheiro nas compras, Ana?
   — ______________ (*gastar*) e o pior é que não ______________ (*comprar*) tudo.
8. — Porque é que ______________ (*chegar*) atrasado, Rui?
   — Já não ______________ (*apanhar*) o autocarro das 09:00.
9. — ______________ (*falar*) com eles?
   — ______________ (*falar*), mas ela não ______________ (*falar*).
10. — A que horas ______________ (*chegar*) ontem, meninos?
    — ______________ (*chegar*) por volta da meia-noite: ______________ (*jantar*) fora e depois ______________ (*levar*) o Paulo a casa.

Oralidade 3

Exemplo:

Hoje estão na escola até às 18:00.
Ontem ***estiveram*** lá até às 17:00.

1. Hoje estou livre.
   Ontem______________ muito ocupado.
2. Este ano vão para o Norte.
   No ano passado ______________ para o Algarve.
3. Ontem ______________ de tratar dos passaportes.
   Hoje temos de ir à agência.
4. Na semana passada o Dr. Lemos ______________ ao Porto falar com uns clientes.
   Hoje vai fechar o negócio.
5. Este filme é óptimo.
   O de ontem também ______________ bom.

Apresentação 2

No banco
abrir uma conta { à ordem / a prazo
comprar cheques de viagem em { dólares / escudos / francos / libras / marcos
creditar / debitar } na conta n.º...
depositar { cheques / vales } valores; dinheiro { moedas / notas } numerário
levantar cheques, dinheiro
pedir/saber o saldo da conta n.º...
preencher { um impresso / um talão de depósito
requisitar um livro de cheques
trocar dinheiro

Oralidade 4

Exemplo: Queria ***abrir*** uma conta à ordem.

1. Os meus pais mandaram-me dinheiro e ontem __________ o cheque na minha conta.
2. Tenho poucos cheques, por isso já __________ um livro de cheques.
3. Não sei quanto dinheiro tenho no banco. Vou __________ o saldo.
4. Vou ao banco __________ esta nota de 10.000$00 em duas de 5.000$00.
5. Para __________ conta tem de __________ este impresso. E depois __________ aqui em baixo.
6. — Queria __________ 20 libras em cheques de viagem.
7. — Com certeza. É para __________ na sua conta?
8. Só tenho 500$00. Preciso de __________ dinheiro.

Oralidade 5

Exemplo: Tem aqui este ***impresso*** para preencher.

1. Posso passar __________ ou tenho de pagar em __________?
2. O Dr. Lemos vai para a Alemanha. Precisa de comprar __________.
3. Só posso levantar o dinheiro no próximo mês, porque a minha __________ é a __________.
4. Entregue o cheque e o __________ de depósito na Caixa 1.
5. Antes de levantar dinheiro, preciso de saber o __________ da minha conta.
6. Vou requisitar um __________ de cheques. Já tenho poucos.

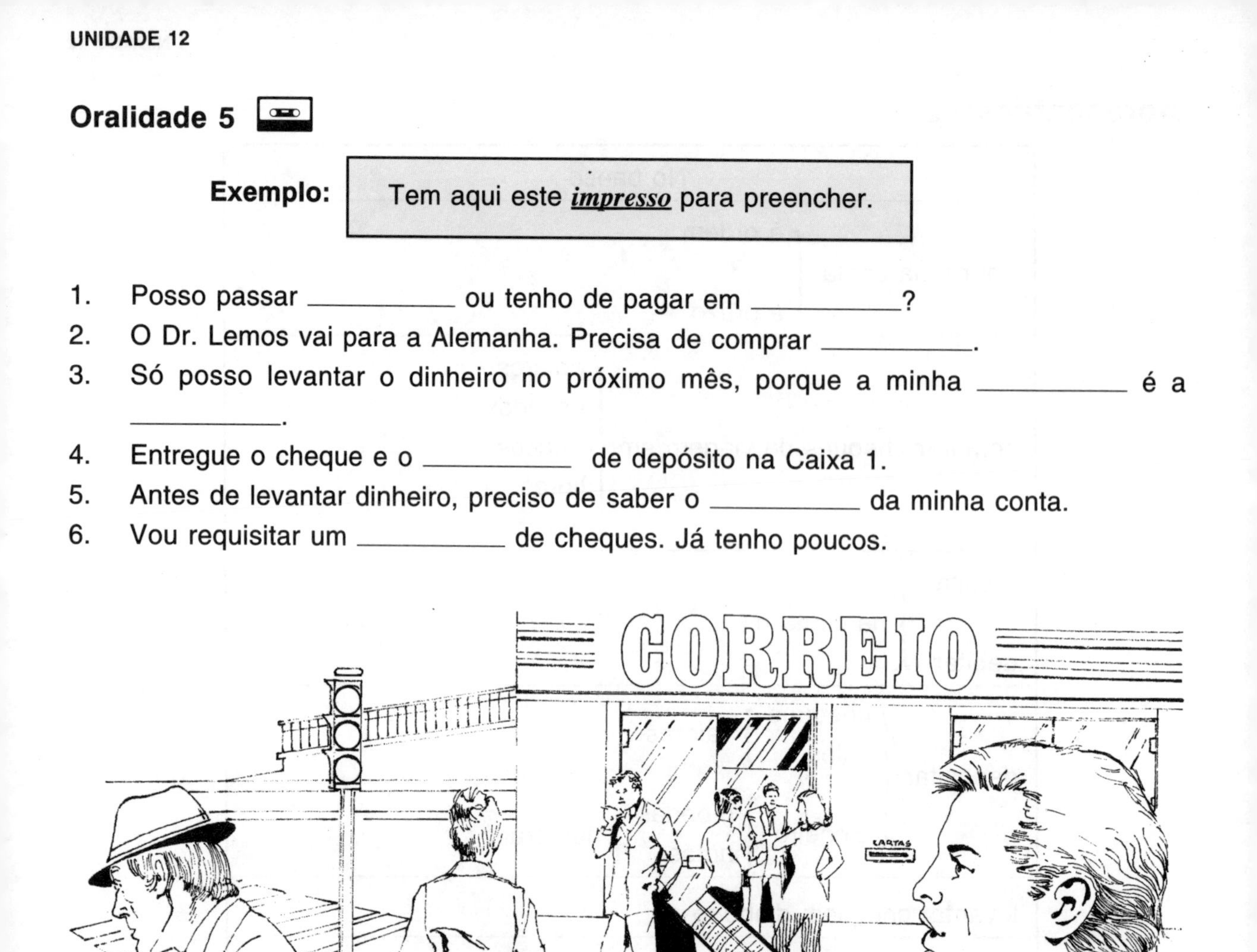

Texto

Hoje de manhã o Steve foi tratar de vários assuntos. Para não se esquecer de nada, anotou tudo na agenda.

Primeiro foi ao banco, levantar o cheque que os pais lhe mandaram. Como não gosta de andar com muito dinheiro, aproveitou para abrir uma conta à ordem e depositou logo metade. Guardou o resto do dinheiro e, já na rua, tirou a agenda do bolso.

Steve: Ora deixa cá ver, onde é que eu agora tenho de ir.

JANEIRO	4.ª SEMANA
24 Segunda	*ir aos correios:* *- comprar selos* *- mandar carta para Boston* *- telefonar aos pais* *ir à escola:* *- pagar a mensalidade* *- falar com a professora* *- requisitar livro na biblioteca*

— Vamos lá escrever!

Compreensão

1. O que é que o Steve foi fazer hoje de manhã?
____
2. Porque é que ele anotou tudo na agenda?
____
3. Onde é que ele foi primeiro?
____
4. Quem é que lhe mandou o cheque?
____
5. O que é que ele foi fazer ao banco?
____

Escrita 1

Imagine que o Steve está a contar ao Miguel o que teve de fazer hoje de manhã. Comece assim:

Hoje de manhã fui ao banco e levantei o cheque que _______________
____
____
____

A seguir fui aos Correios. _______________
____
____

Por último, tive de ir à escola. _______________
____
____

Escrita 2

A

O António está no banco e quer abrir uma conta.

António: Bom dia. Queria _______________ uma _______________ à _______________, por favor.
Empregado: Com certeza. Tem aqui este _______________. Pode _______________ e depois assina aqui em baixo.
António: Obrigado.
Empregado: De nada.

B

O Jorge foi ao banco para pedir o saldo da conta e para depositar dinheiro.

Jorge: Boa tarde. Queria _______________ o _______________ da _______________ n.º 2495108, se faz favor.
Empregado: É só um momento, por favor.
Aqui tem. O seu _______________ é de 18.000$00.
Jorge: Obrigado. Olhe, queria também _______________ dinheiro.
Empregado: Então _______________ este _______________ e depois entregue ali, na caixa de depósitos.

C

A Maria está no banco e vai requisitar um livro de cheques.

Empregado: Bom dia. Faz favor de dizer.
Maria: Queria ______________ um ______________ de ______________, por favor.
Empregado: Muito bem. É só assinar aqui este ______________.
Maria: Quando é que posso ______________ os ______________?
Empregado: Dentro de cinco dias úteis estão prontos.
Maria: Muito obrigada.
Empregado: Não tem de quê.

Escrita 3

Aqui está o cheque que o Steve passou para pagar a mensalidade da escola:

Banco

CHEQUE N.º

Pague por este cheque, ESCUDOS
55.000 $ 00

Local de emissão
Lisboa

Data
94 / 01 / 24

Assinaturas
Steve Harris

à ordem de Escola de Línguas de Lisboa
a quantia Cinquenta e cinco mil escudos

Agora você.

Imagine que foi à Livraria Lisbonense e comprou um dicionário de português. Para pagar passou um cheque na quantia de 8.595$00.

Banco

CHEQUE N.º

Pague por este cheque, ESCUDOS
$

Local de emissão

Data
/ /

Assinaturas

à ordem de ______________

a quantia ______________

Sumário

Objectivos funcionais

Falar de acções passadas	«Os meus pais mandaram-me dinheiro.»
Falar de operações bancárias	«Queria levantar este cheque.» «Qual é a cotação do dólar?» «Está a 160$00.» «Queria abrir uma conta à ordem, por favor.» «Queria saber o saldo da conta n.º ...» «Queria também depositar dinheiro.» «Queria requisitar um livro de cheques.» «Qual é a sua morada em Portugal?»
Perguntar / Dizer } a morada	«Av. de Roma, n.º 182 - 1.º Dt.º, 1700 LISBOA.»

Vocabulário

Substantivos e adjectivos:

a agenda	o documento	o marco	o numerário
o assunto	o dólar	a mensalidade	o passaporte
a Av. de Roma	o franco	a metade	a quantia
bancário (adj.)	o impresso	a moeda	o saldo
a bicha	a libra	a morada	útil (adj.)
o bolso	a livraria	a nota	o vale
a cotação	livre (adj.)	o Norte	os valores
o depósito			

Expressões:

à ordem	Ora deixa cá ver...	pagar em { cheque / dinheiro	passar um cheque
a prazo	Não tem de quê.		requisitar um livro
cinco dias úteis			

Verbos:

acordar	baixar	depositar	preencher
aguardar	creditar	gastar	receber
anotar	debitar	imaginar	requisitar
assinar			

UNIDADE 13

«...andei a fazer arrumações e parti o braço.»

Áreas gramaticais/Estruturas

Pretérito perfeito simples:	**verbos regulares em -er, -ir, verbos em -air, ver**
Presente do indicativo:	**doer**
Advérbios:	**tanto, tão**
Indefinidos:	**tanto(s), tanta(s)**

Advérbios:	**abaixo, absolutamente, mal**
Interjeições:	**hem!, zás!**
Locuções conjuncionais:	**desde que**

Diálogo

Miguel: Então Paulo, o que é que te aconteceu?

Paulo: Olha, andei a fazer arrumações e parti o braço.

Sofia: Como é que foi isso?

Paulo: A minha mãe pediu-me para limpar a arrecadação. Fui buscar o escadote e...

Miguel: E... zás! Caíste do escadote abaixo, não?

Paulo: Pois foi. E agora estou neste lindo estado.

Sofia: Dói-te muito o braço?

Paulo: Agora já não me dói tanto. Mas ainda estou com dores na perna. Tenho cá uma nódoa negra...!

Miguel: Coitado! Tiveste mesmo azar.

— Vamos lá falar!

Apresentação 1

A

Pretérito perfeito simples		
Verbos regulares em **-er**		
(eu)	beb	**i**
(tu)	com	**este**
(você, ele, ela)	desc	**eu**
(nós)	escrev	**emos**
(vocês, eles, elas)	perd	**eram**

Oralidade 1

1. Eu ontem **comi** muito.
2. Tu não **perdeste** o dinheiro, pois não?
3. Você ainda não **leu** este artigo?
4. Ele **nasceu** em Moçambique.
5. Ela **bebeu** café com leite ao pequeno-almoço.
6. Nós **vivemos** no Porto há muitos anos.
7. Vocês não se **esqueceram** de nada?
8. Eles **desceram** a pé.
9. Elas **escreveram**-me um postal.

B

Pretérito perfeito simples	
Verbos regulares em **-ir**	
(eu)	abr **i**
(tu)	decid **iste**
(você, ele, ela)	ouv **iu**
(nós)	part **imos**
(vocês, eles, elas)	vest **iram**

N.B.: Verbos em **-air**
cair → eu caí, tu caíste, ele caiu, nós caímos, eles caíram
sair → eu saí, tu saíste, ele saiu, nós saímos, eles saíram

Oralidade 2

1. Eu ainda não **decidi** nada.
2. Tu **caíste** do escadote, não foi?
3. Você já **ouviu** as notícias?
4. Ele **partiu** o braço.
5. Ela já se **vestiu**.
6. Nós ontem **abrimos** uma conta no banco.
7. Vocês **conseguiram** saber a morada dele?
8. Eles **pediram** o carro ao pai.
9. Elas ontem não **saíram** de casa.

C

Pretérito perfeito simples
Verbo **ver = regulares em -ir**

Oralidade 3

1. **Vi** ontem o Paulo.
2. Já **viste** a minha aparelhagem nova?
3. **Viu** o Sr. Pinto, D. Ana?
4. Ainda não **vimos** esse filme.
5. **Viram** a minha pasta?

Oralidade 4

1. Ele ____________ (*ver*) o filme, mas não ____________ (*perceber*) quase nada.
2. Eles ____________ (*descer*) de elevador, mas ela ____________ (*preferir*) ir a pé.
3. Eu ____________ (*conseguir*) saber o número dela e não ____________ (*esquecer-se*) de lhe telefonar.
4. O Paulo ____________ (*cair*) do escadote e ____________ (*partir*) o braço.
5. Nós ainda não ____________ (*ler*) o artigo que ele ____________ (*escrever*).

Oralidade 5

1. — Então, ainda não se vestiram, meninos?
— Eu já estou pronto, mas a Sofia ainda não ____________.

2. — Esqueceste-te de alguma coisa?
   — ________________ do chapéu de chuva, como sempre.

3. — Perderam o dinheiro!?!
   — ________________ o dinheiro e os documentos todos.

4. — Onde é que nasceste?
   — ________________ em Moçambique.

5. — Viram o filme de ontem?
   — ________________. Foi muito bom.

6. — O senhor pediu um garoto?
   — Não, não. ________________ uma bica.

7. — Ouviram as notícias de manhã?
   — ________________. É só desgraças.

8. — Já leu o jornal?
   — Já ________________, já. Pode levar.

9. — Ainda não recebeste nenhuma carta?
   — Já ________________ uma da minha mãe.

10. — O que é que comeram ao jantar?
    — Eu ________________ escalopes de vitela e ela ________________ peixe.

Apresentação 2

A

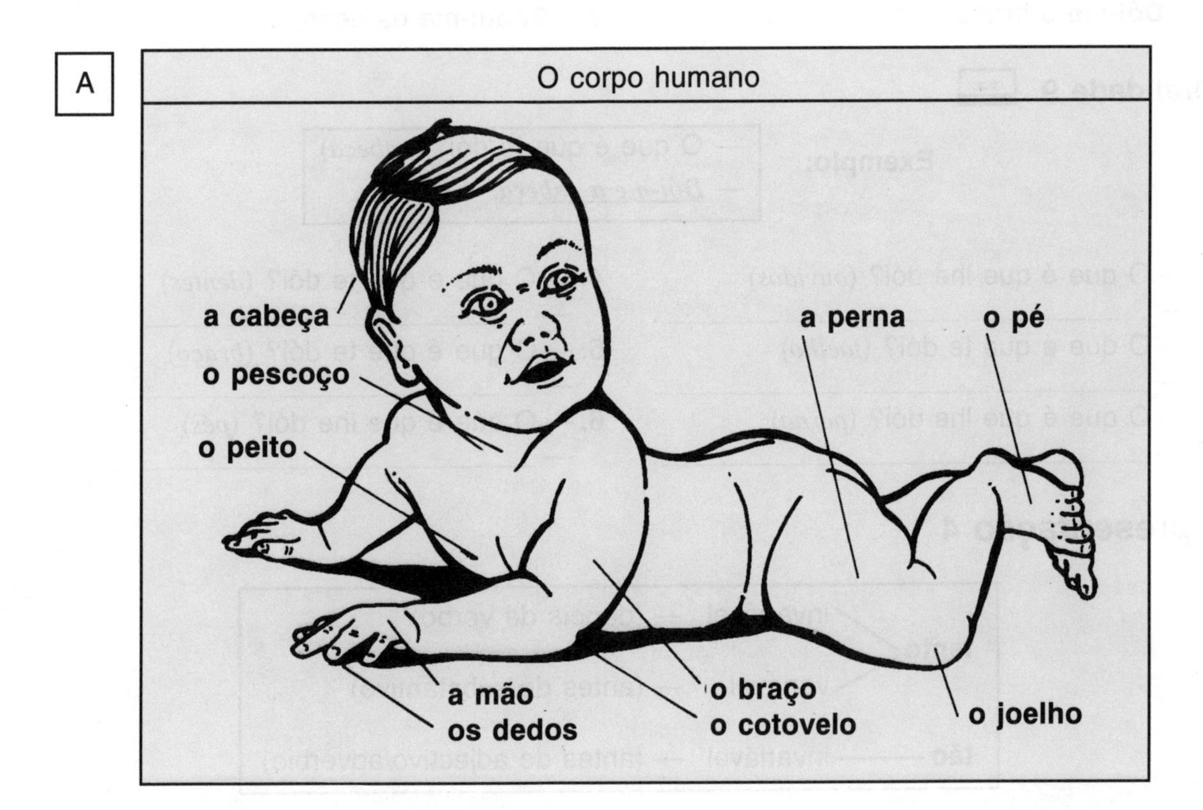

B

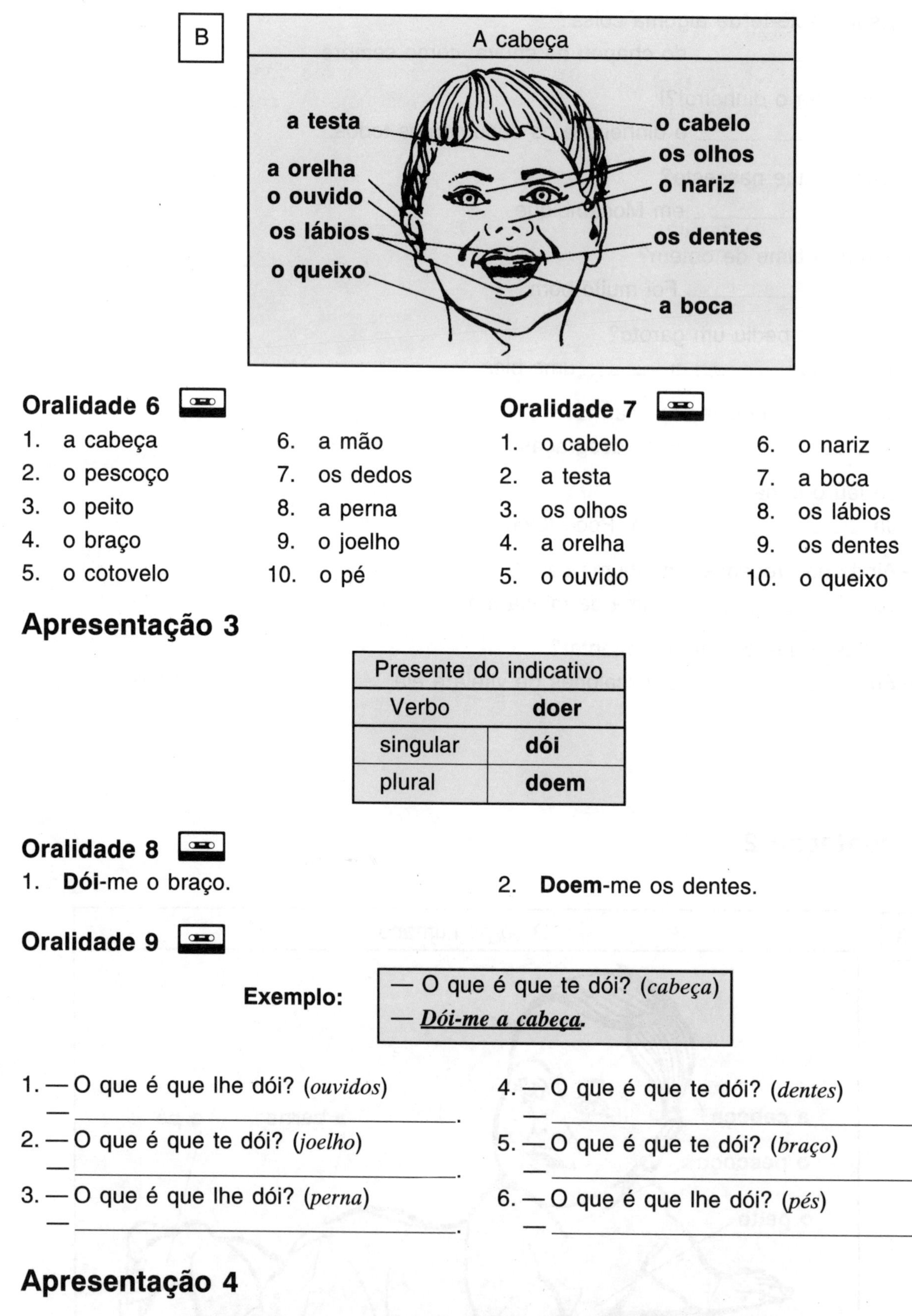

Oralidade 6

1. a cabeça
2. o pescoço
3. o peito
4. o braço
5. o cotovelo
6. a mão
7. os dedos
8. a perna
9. o joelho
10. o pé

Oralidade 7

1. o cabelo
2. a testa
3. os olhos
4. a orelha
5. o ouvido
6. o nariz
7. a boca
8. os lábios
9. os dentes
10. o queixo

Apresentação 3

Presente do indicativo	
Verbo	**doer**
singular	**dói**
plural	**doem**

Oralidade 8

1. **Dói**-me o braço.
2. **Doem**-me os dentes.

Oralidade 9

Exemplo:
— O que é que te dói? (*cabeça*)
— ***Dói-me a cabeça.***

1. — O que é que lhe dói? (*ouvidos*)
— ______________________.
2. — O que é que te dói? (*joelho*)
— ______________________.
3. — O que é que lhe dói? (*perna*)
— ______________________.
4. — O que é que te dói? (*dentes*)
— ______________________.
5. — O que é que te dói? (*braço*)
— ______________________.
6. — O que é que lhe dói? (*pés*)
— ______________________.

Apresentação 4

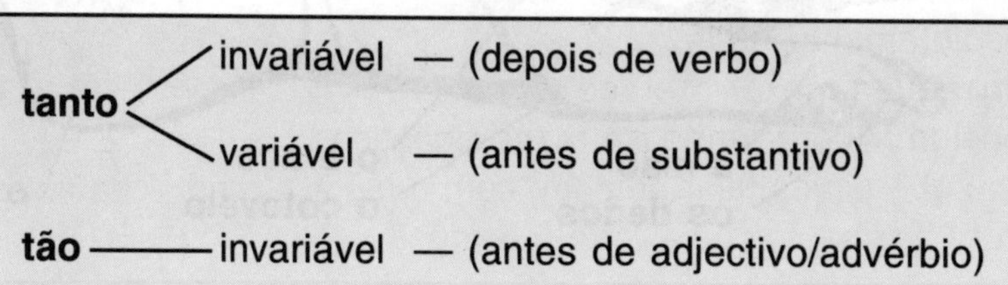

Oralidade 10

1. Agora já não me dói **tanto**.
2. Já não tenho **tantas** dores.
3. Ele está **tão** dorido!
4. Chegaste **tão** cedo!

Oralidade 11

1. Estás __________ bonita, Sofia!
2. Coitado do Paulo! Teve __________ azar!
3. __________ gente!
4. Falas __________ depressa!
5. Hum! Gosto __________desse bolo!
6. Olha, __________ carros!
7. Gastaram __________ dinheiro!
8. Tenho __________ dores no braço!
9. Ele está __________ contente!
10. Estou com __________ fome!
11. Levantou-se __________ tarde!
12. Doem-me __________ os dentes.

Texto

Já passou um mês desde que o Paulo teve o acidente. Por isso a mãe telefonou para o consultório e marcou uma consulta para o ortopedista. Este observou o Paulo e achou que ele já podia tirar o gesso.

No dia seguinte, o Paulo e a mãe foram os dois ao hospital.

Enfermeiro: Então, já estás melhor?
Paulo: Acho que sim. Nunca mais tive dores.
Enfermeiro: Óptimo! Isso é que é preciso! Vamos lá tirar esse gesso.
Paulo: Até que enfim! Custou tanto a passar!
Enfermeiro: Pronto! Não te doeu, pois não?
Paulo: Absolutamente nada.
Enfermeiro: Consegues mexer o braço?
Paulo: Consigo. Agora tenho de fazer ginástica.
Enfermeiro: Acho que deves falar primeiro com o médico e nada de exageros, hem!
Paulo: Claro! Tenho consulta logo à tarde.

— Vamos lá escrever!

Compreensão

1. Há quanto tempo é que o Paulo teve o acidente?

____.

2. Para onde é que a mãe telefonou? Porquê?

____.

3. Onde é que foram no dia seguinte? Porquê?

____.

4. O Paulo ficou contente por tirar o gesso? Justifique com uma frase do texto.

____.

5. O Paulo pode começar já a fazer ginástica com o braço? Justifique.

____.

Escrita 1

Exemplo: O Paulo teve o acidente há um mês.
Já passou um mês desde que o Paulo teve o acidente.

1. Parti o braço há quatro semanas.

____.

2. O bebé nasceu há quinze dias.

____.

3. Ele escreveu o último romance há um ano.

____.

4. Os meus tios mudaram-se para o apartamento novo há oito dias.

____.

5. O exame começou há uma hora.

____.

Escrita 2

Exemplo: Estou com muito sono. Mal consigo abrir os olhos.
Estou com tanto sono que mal consigo abrir os olhos.

1. Hoje andei muito. Doem-me os pés.

____.

2. O dia ontem esteve muito bonito. Resolvi ir passear.

____.

3. Estou com muitas dores. Vou já tomar um comprimido.

____.

4. Ele sentiu-se muito mal. A mãe chamou o médico.

____.

5. Ontem estudei muito. Fiquei com dores de cabeça.

____.

Sumário

Objectivos funcionais

Dar ênfase	«Tenho cá uma nódoa negra...!»
Expressar alívio	«Até que enfim.»
Expressar ênfase, sob um ponto de de vista subjectivo	«Estás tão bonita, Sofia!» «Custou tanto a passar.»
Expressar dor	«... não me dói tanto.» «Estou com dores na perna.»
Expressar ironia	«E agora estou neste lindo estado.»
Expressar simpatia	«Coitado! Tiveste mesmo azar.» «Óptimo! Isso é que é preciso!»
Falar de acções passadas	«... o que é que te aconteceu?» «... andei a fazer arrumações e parti o braço.»
Falar do corpo humano	
Localizar acções passadas no tempo	«Já passou um mês desde que o Paulo teve o acidente.»

Vocabulário

Substantivos e adjectivos:

o acidente	o consultório	o exagero	o olho
a arrecadação	o corpo	o gesso	a orelha
a arrumação	o cotovelo	a ginástica	o ortopedista
o artigo	o dedo	humano (adj.)	o ouvido
o azar	o dente	o joelho	o pé
o bebé	a desgraça	o lábio	o peito
a boca	a dor	lindo (adj.)	a perna
o braço	dorido (adj.)	a mão	o pescoço
a cabeça	o elevador	Moçambique	o postal
o cabelo	o escadote	o nariz	o queixo
o chapéu de chuva	o escalope (de vitela)	a nódoa negra	o sono
o comprimido	o estado	a notícia	a testa
a consulta			

Expressões:

Coitado de...! Custou tanto a passar! estar com { dores / sono	fazer { arrumações / ginástica ficar { com dores (de) / contente (por)	ir passear Isso é que é preciso! marcar uma consulta Nada de exageros...!	ter { azar / dores / uma consulta tomar um comprimido

Verbos:

acontecer chamar doer	limpar mexer	mudar-se (para) nascer	observar sentir-se

UNIDADE 14

«Então, o que é que o médico te disse?»

Áreas gramaticais/Estruturas

Pretérito perfeito simples:	**dizer, trazer**
Pronomes pessoais complemento directo:	**me, te, o, a**
Com + pronomes pessoais complemento circunstancial:	**comigo, contigo, consigo, com ele(s), com ela(s), connosco, com vocês, convosco**

Advérbios:	**essencialmente**
Conjunções:	**nem, pois**
Indefinidos:	**certas**
Interrogativos:	**que tipo de**
Locuções conjuncionais	**não só... mas também**
Locuções prepositivas:	**por causa de**

Diálogo

Ao telefone

Sofia: Está lá? É de casa do Paulo?
Paulo: Sim, sim. É o próprio. Quem fala?
Sofia: É a Sofia. Então, o que é que o médico te disse?
Paulo: Está tudo bem. Tirei ontem o gesso e trouxe um aparelho para fazer exercícios com o braço.
Sofia: Ainda bem! E para comemorar o «braço novo», porque é que não vamos à revista?
Paulo: Porque é que te lembraste disso?
Sofia: Bom, é que o Miguel tem bilhetes para hoje, para a estreia. Vens connosco?
Paulo: É claro que vou. Como é que combinamos?
Sofia: Encontramo-nos às nove no café. O Jorge e a Rita também vão lá ter. Ah! É verdade! Traz a tua irmã.
Paulo: Está bem. Eu levo-a comigo. Até logo.
Sofia: Até logo.

— Vamos lá falar!

Apresentação 1

<table>
<tr><th colspan="3">Pretérito perfeito simples</th></tr>
<tr><th>Verbos</th><th colspan="2">dizer/trazer</th></tr>
<tr><td>(eu)</td><td rowspan="5">diss
troux</td><td>e</td></tr>
<tr><td>(tu)</td><td>este</td></tr>
<tr><td>(você, ele, ela)</td><td>e</td></tr>
<tr><td>(nós)</td><td>emos</td></tr>
<tr><td>(vocês, eles, elas)</td><td>eram</td></tr>
</table>

Oralidade 1

1. Eu disse
2. Tu disseste
3. Você disse
4. Ele disse
5. Ela disse
6. Nós dissemos
7. Vocês disseram
8. Eles disseram
9. Elas disseram

Oralidade 2

1. Eu trouxe
2. Tu trouxeste
3. Você trouxe
4. Ele trouxe
5. Ela trouxe
6. Nós trouxemos
7. Vocês trouxeram
8. Eles trouxeram
9. Elas trouxeram

Oralidade 3

1. — O que é que te ____________________ no hospital?
— ____________________-me para fazer ginástica com o braço. (*dizer*)
2. — ____________________ os bilhetes, Miguel?
— Claro que ____________________. (*trazer*)

3. — Já ______________ à tua irmã que vamos à revista?
   — Não, ainda não lhe ______________ nada. (*dizer*)

4. — Vocês ______________ alguma coisa para comer?
   — ______________chocolates para todos. (*trazer*)

5. — Quem é que me ______________ isso?
   — Fomos nós que te ______________. (*dizer*)

Oralidade 4

1. Eles não lhe ______________ para onde foram.
2. ______________-lhe uma prenda, mãe.
3. Ninguém me ______________ que estiveste doente.
4. Nós já lhe ______________ que ela não está em casa de manhã.
5. ______________ os óculos, Teresa?

Apresentação 2

A

	Pronomes pessoais complemento directo
(eu)	**me**
(tu)	**te**
(você) (o Senhor) (a Senhora) (ele) (ela)	**o, a**

Oralidade 5

1. — A Teresa também vai à revista?
   — Vai. A Sofia também ______ convidou.

2. — A esta hora já não há autocarros, Miguel.
   — Não faz mal. Eu levo-______ a casa, Teresa.

3. — Onde é que tens o bilhete? Perdeste-______ ?
   — Não. Guardei-______ na mala.

4. — Já conheces a Rita?
   — Sim, sim. Conheci-______ ontem, na festa.

5. — Ajudas-______ com as roupas, Sofia?
   — Ajudo-______ já, mãe. É só um minuto.

B

	com + pronomes pessoais		
	complemento circunstancial		
	singular	plural	
(eu)	**comigo**	**connosco**	(nós)
(tu)	**contigo**	**com vocês**	(vocês)
(você) (o senhor) (a senhora)	**consigo**	**convosco**	(os senhores) (as senhoras)
(ele)	**com ele**	**com eles**	(eles)
(ela)	**com ela**	**com elas**	(elas)

Oralidade 6

Exemplo:

— Também vens ________ (*nós*)?
— Também vens ***connosco***?

1. Hoje não vou sair ____________ (*ela*). Podem contar ____________ (*eu*) para o cinema.
2. A Sofia já falou ____________ (*eu*) e logo à tarde vai falar ____________ (*tu*), Teresa.
3. — Quem é que vai ____________ (*vocês*) no carro?
   — A Sofia. A Teresa e o Paulo têm de ir ____________ (*tu*).
4. — Posso ir ____________ (*você*) às compras, mãe?
   — Podes. Então o teu pai já não precisa de vir ____________ (*nós*).
5. — Lembram-se da conversa que tive ____________ (*os senhores*)?
   — Sim, mas também me lembro que não concordámos ____________ (*o senhor*).

Apresentação 3

Ao telefone	
— Está lá? É de casa de...? — Não, não. É engano. — Desculpe. — Não faz mal. Com licença.	— Estou sim? — Está? Donde é que fala, por favor? — Fala do 7940448. — A Ana está? — É a própria. Quem fala?
— A Lemos, Lda., bom dia. — Bom dia. É possível falar com o Dr. Lemos, por favor? — O Dr. Lemos não pode atender neste momento. Quer deixar recado? — Diga-lhe que telefonaram da parte do Dr. Figueira. — Muito bem. Bom dia e com licença.	

Oralidade 7

A

Você vai ligar para a escola e pede para falar com a Dra. Madalena, a professora de Português.

Recepcionista: ______________________ , ______________________ .

Você: ______________________ , ______________________ ?

Recepcionista: Neste momento não está. ______________________ ?

Você: ______________________ .

Recepcionista: Com certeza. ______________________ e ______________________ .

Você: ______________________ .

B

Agora vai telefonar para casa do João e convida-o para ir ao cinema.

João: ______________________ ?

Você: ______________________ ? ______________________ ?

João: ______________________ . ______________________ ?

Você: ______________________ . ______________________

______________________ ao cinema ______________________ ?

João: Claro! Como é que combinamos?

Você: ______________________ . ______________________ ?

João: O.K.. Então até logo.

Você: ______________________ .

C

Você quer telefonar para casa do Miguel, mas engana-se no número.

A: Estou sim?

Você: ______________________ ? ______________________ ?

A: Aqui não mora nenhum Miguel!

Você: ______________________ ?

A: Fala do 3533733.

Você: ______________________ . ______________________ .

A: ______________________ . ______________________ .

Texto

A revista à portuguesa é essencialmente um espectáculo cómico e, ao mesmo tempo, uma sátira social. É, pois, necessário estar a par da situação política do país para perceber determinados números.

Muitos estrangeiros têm dificuldade em compreender certas piadas, não só por causa do tipo de linguagem, mas também porque não conhecem bem as figuras caricaturadas.

Ontem à noite o Miguel e os amigos foram à estreia duma revista no Parque Mayer. Foi a primeira vez que o Steve assistiu a um espectáculo deste tipo. À saída, o Miguel perguntou:

Miguel: Então, gostaram?
Sofia: Eu gostei imenso.
Paulo: Ri-me tanto que até me dói a barriga. E tu, Steve?
Steve: Gostar, gostei. Mas não percebi nem metade.
Teresa: Deixa lá! Para a próxima vamos antes ao cinema — é tudo em inglês!

— Vamos lá escrever!

Compreensão

1. Que tipo de espectáculo é a revista à portuguesa?

____

2. Porque é que os estrangeiros têm, geralmente, dificuldade em compreender alguns números?

   ____

3. Onde é que o Miguel e os amigos foram ontem à noite?

   ____

4. O que é que o Paulo achou do espectáculo? Justifique com uma frase do texto.

   ____

5. E qual foi a opinião do Steve?

   ____

Escrita 1

Exemplo:

> Steve / assistir / revista à portuguesa
> Foi a primeira vez que ***o Steve assistiu a uma revista à portuguesa***.

1. Paulo / partir / braço
   Foi a primeira vez que ______________________________.
2. nós / provar / comida indiana
   Foi a primeira vez que ______________________________.
3. Rui / beber / champanhe
   Foi a primeira vez que ______________________________.
4. eu / ir / Tailândia
   Foi a primeira vez que ______________________________.
5. elas / estar / estrangeiro
   Foi a primeira vez que ______________________________.

Escrita 2

Composição guiada.

1. Miguel / convidar / amigos / estreia / revista.

   ______________________________.
2. (Eles) / combinar / encontrar-se / ele / café / 19:00.

   ______________________________.
3. (Eles) / ir / todos / táxi / Parque Mayer.

   ______________________________.
4. Primeiro / comer / pequeno / restaurante / Parque.

   ______________________________.
5. Depois / jantar / dirigir-se / então / teatro.

   ______________________________.

Sumário

Objectivos funcionais

Dar ênfase	«Ri-me tanto que até me dói a barriga.»
Expressar simpatia	«Ainda bem.» «Deixa lá.»
Falar de acções passadas	«... o que é que o médico te disse?»
Marcar encontros	«Encontramo-nos às nove no café.»
Usar o telefone	«Está lá? É de casa do Paulo?» «Sim, sim. É o próprio. Quem fala?»

Vocabulário

Substantivos e adjectivos:

o aparelho a barriga caricaturado (adj.) o champanhe cómico (adj.) a comida a conversa determinado (adj.)	o engano a estreia a figura indiano (adj.) a linguagem necessário (adj.) o número	os óculos o Parque Mayer a piada político (adj.) o próprio o recado a revista (à portuguesa)	a saída a sátira social (adj.) a Tailândia o teatro o telefone o tipo

Expressões:

Ainda bem! Com licença! ...da parte de Deixa lá!	deixar recado É engano. É o próprio. É verdade!	Está lá? estar a par (de) Estou (sim)?	ir ter (a) O.K. ser necessário

Verbos:

ajudar atender combinar	comemorar contar com encontrar-se (com)	enganar-se (em) ligar (para)	provar rir-se

UNIDADE 15

«Acham que se pode tomar banho?»

Áreas gramaticais/Estruturas

Pretérito perfeito simples: 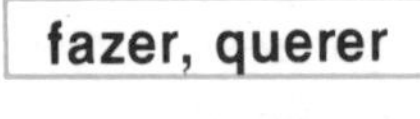 **fazer, querer**

Frases exclamativas: **Que... tão...!**

Partícula apassivante: **se**

Advérbios: **praticamente**
Preposições: **sobre**

Diálogo

Sofia: Isto aqui é mesmo bonito, não é?
Miguel: Que sítio tão maravilhoso! Fizemos bem em escolher este lugar.
Steve: A água é tão limpinha! Acham que se pode tomar banho?
Miguel: É claro que se pode. O rio aqui não é perigoso e nesta altura do ano a água não deve estar nada fria.
Steve: Que pena! Não trouxemos os fatos de banho nem nada!
Miguel: Eu bem quis trazer o meu...
Sofia: Não faz mal. Fica para amanhã. Vamos antes alugar um barco e dar uma volta pelas ilhas.
Steve: Boa ideia. Devem ser uma maravilha!

— Vamos lá falar!

Oralidade 1

Exemplo:
— Falaram com eles?
— ***Falámos***.

1. — Saíste com ela?
— ______________________________.
2. — Trouxeste o fato de banho?
— ______________________________.
3. — Ficaste em casa?
— ______________________________.
4. — O senhor foi à reunião?
— ______________________________.
5. — Disseste-lhe?
— ______________________________.
6. — Esteve doente, D. Rosa?
— ______________________________.
7. — Comeram tudo?
— ______________________________.
8. — Teve um bom fim-de-semana, senhor doutor?
— ______________________________.
9. — Foram ao cinema, meninos?
— ______________________________.
10. — Escreveu a carta, D. Ana?
— ______________________________.

Apresentação 1

A

Pretérito perfeito simples		
Verbo **fazer**		
(eu)	**fiz**	
(tu)	**fiz**	**este**
(você, ele, ela)	**fez**	
(nós)	**fiz**	**emos**
(vocês, eles, elas)	**fiz**	**eram**

B

Pretérito perfeito simples		
Verbo **querer**		
(eu)	**quis**	
(tu)	**quis**	**este**
(você, ele, ela)	**quis**	
(nós)	**quis**	**emos**
(vocês, eles, elas)	**quis**	**eram**

Oralidade 2

1. Eu fiz
2. Tu fizeste
3. Você fez
4. Ele fez
5. Ela fez
6. Nós fizemos
7. Vocês fizeram
8. Eles fizeram
9. Elas fizeram

Oralidade 3

1. Eu quis
2. Tu quiseste
3. Você quis
4. Ele quis
5. Ela quis
6. Nós quisemos
7. Vocês quiseram
8. Eles quiseram
9. Elas quiseram

Oralidade 4

1. — Olha o que ________________! Está tudo sujo.
   — Eu!?! Eu não ________________ nada. (*fazer*)
2. — Eu bem ________________ o fato de banho.
   — Não ________________, não senhor. (*querer*)
3. — ________________alguma coisa para o lanche, mãe?
   — ________________ um bolo de chocolate. (*fazer*)
4. — Porque é que vocês não ________________ vir connosco?
   — Nós ________________, mas não tivemos tempo. (*querer*)
5. — Já ________________ os exercícios todos, meninos?
   — Não, ainda só ________________ os dois primeiros. (*fazer*)

Oralidade 5

1. Ela ________________ anos no sábado passado.
2. Eles ________________ a festa no jardim.
3. Nós ________________ mostrar as ilhas ao Steve.
4. O que é que ________________ no fim-de-semana, Paulo?
5. Ele não ________________ falar sobre o assunto.

Apresentação 2

Frases exclamativas				
Que +	substantivo +	**tão** +	adjectivo +	**!**
Que	sítio	tão	maravilhoso	!

Oralidade 6

1. Este bebé é muito bonito.

____

2. Esse romance é muito interessante.

____

3. O dia hoje está muito feio.

____

4. O empregado foi muito antipático.

____

5. Este jogo é muito giro.

____

6. Esta maçã é muito amarga.

____

7. Este bolo é muito bom.

____

8. O filme foi muito mau.

____

9. A festa está muito animada.

____

10. A representação foi muito fraca.

____

Apresentação 3

Partícula apassivante **se**
As pessoas podem tomar banho aqui?
Pode-se tomar banho aqui?

Oralidade 7

1. No Norte **as pessoas bebem** muito vinho.
   No Norte _______________ muito vinho.

2. Em Portugal **as pessoas tomam** normalmente café depois das refeições.
   Em Portugal _______________ normalmente café depois das refeições.

3. Na reunião **as pessoas falaram** de tudo um pouco.
   Na reunião _______________ de tudo um pouco.

4. Em Portugal **as pessoas vêem** muito televisão.
   Em Portugal _______________ muito televisão.

5. No Natal **as pessoas comem** bacalhau cozido na consoada.
   No Natal _______________ bacalhau cozido na consoada.

Texto

O Miguel e os amigos aproveitaram o fim-de-semana prolongado e resolveram dar uma volta pelo centro de Portugal. Foram até à cidade de Tomar visitar o Convento de Cristo e depois subiram a serra em direcção à Ilha do Lombo. Ficaram hospedados na estalagem da ilha que tem uma boa piscina, um ambiente agradável e uma ementa deliciosa.

A Ilha do Lombo é pequena e fica bem no meio do rio Zêzere. A estalagem, rodeada por árvores, ocupa praticamente toda a ilha. Para chegar até lá, apanha-se o barco que faz carreira de hora a hora.

— Vamos lá escrever!

Compreensão

1. O que é que o Miguel e os amigos fizeram durante o fim-de-semana prolongado?

____

2. Que locais é que eles visitaram?

____

3. Onde é que passaram a noite?

____

4. Como é a estalagem?

____

5. Como é que se vai para lá?

____

Escrita 1

Exemplo:

vocês / fazer / ontem
ir ao cinema
— ***O que é que vocês fizeram ontem***?
— ***Fomos ao cinema.***

1. eles / fazer / em Tomar
   visitar o Convento de Cristo
   — ______________________________?
   — ______________________________.
2. Sofia / fazer / ontem à tarde
   tomar banho na piscina
   — ______________________________?
   — ______________________________.
3. tu / fazer / durante a manhã
   ir dar uma volta pela ilha
   — ______________________________?
   — ______________________________.
4. vocês / fazer / ontem à noite
   ver o filme da televisão
   — ______________________________?
   — ______________________________.
5. o senhor / fazer / no fim-de-semana
   ficar em casa a descansar
   — ______________________________?
   — ______________________________.

Escrita 2

A Sofia escreveu aos avós a contar o que fez durante o fim-de-semana prolongado.

Lisboa, ____ de ______________ de 19__

Queridos avós

____
____
____
____
____
____

Vou acabar aqui, porque tenho de ir ajudar a mãe a fazer o jantar.
Um beijinho da vossa neta

Sofia

Sumário

Objectivos funcionais

Deduzir		«Devem ser uma maravilha!»
Expressar	agrado	«Que sítio tão maravilhoso!»
	desagrado	«Que dia tão feio!»
	pesar	«Que pena!»
Falar de acções	impessoais	«Acham que se pode tomar banho?»
		«... apanha-se o barco...»
	passadas	«O que é que vocês fizeram ontem?»

Vocabulário

Substantivos e adjectivos:

agradável (adj.)	o Convento de Cristo	a ilha	a piscina
amargo (adj.)	delicioso (adj.)	a Ilha do Lombo	prolongado (adj.)
o ambiente	a direcção	limpinho (adj.)	querido (adj.)
animado (adj.)	a ementa	o lugar	a representação
antipático (adj.)	a estalagem	maravilhoso (adj.)	o rio
a árvore	o fato de banho	o meio	rodeado (adj.)
o beijinho	feio (adj.)	o neto	a serra
a carreira	giro (adj.)	passado (adj.)	sujo (adj.)
o centro	hospedado (adj.)	perigoso (adj.)	Tomar
a consoada			o Zêzere

Expressões:

Boa ideia.	fazer bem em	ir em direcção a	Que pena!
... de hora a hora.	fazer carreira	... nem nada.	tomar banho
... de tudo um pouco.	ficar hospedado	passar a noite	Um beijinho de...

Verbos:

alugar	escolher	ocupar	subir
descansar			

REVISÃO

11/15

I - Complete com:

A	B	C
cheque mensalidade quantia saldo	comprimido consulta consultório Doutor médico	aulas curso escola salas turma

A

Depois de verificar o ______________, passou um ______________ na ______________ de 15.000$00 para pagar a ______________ da escola.

B

O Paulo tem de ir ao ______________. Já tomou um ______________, mas não lhe passaram as dores. A mãe ligou para o ______________ e marcou uma ______________ para o ______________ Silva.

C

O Steve está a tirar um ______________ de português para estrangeiros. A ______________ dele é moderna e as ______________ de aula são grandes. Gosta muito das ______________ de História. É um dos melhores alunos da ______________.

II - Complete com os pronomes pessoais:

1. __________ ontem deitámo-__________ tardíssimo.
2. Os pais do Steve mandaram-__________ um cheque e __________ foi ao banco.
3. __________ nunca __________ lembro do nome dessa rua.
4. Temos de estar no café às três. O Miguel combinou encontrar-__________ lá__________.
5. __________recebeu o dinheiro e guardou- na mala.

III - Complete com:

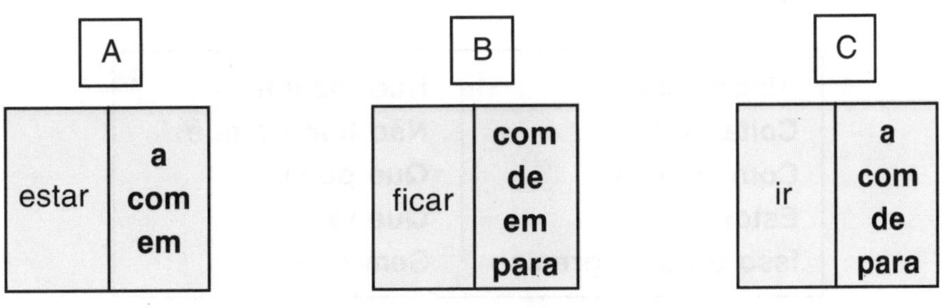

A

1. Estou ________ tanto sono! Vou-me já deitar.
2. Nós estivemos ________ estudar toda a tarde.
3. Foi a primeira vez que o Steve esteve ________ Tomar.

B

1. Ontem não saí. Fiquei ________ casa.
2. Leu tanto que ficou ________ dores de cabeça.
3. Hoje já não tivemos tempo para visitar o castelo. Fica ________ amanhã.
4. A Sofia ficou ________ cama durante o fim-de-semana. Esteve com gripe.

C

1. Quem é que vai ________ vocês no carro?
2. Ele foi viver ________ o Brasil.
3. Eles foram ________ táxi para o Parque Mayer.
4. O Miguel e a Sofia vão sempre almoçar ________ casa.

IV - Ligue as frases. Faça alterações, se necessário.

Exemplo:

Não posso sair. Tenho de estudar. (*porque*)
Não posso sair, porque tenho de estudar.

1. Ri-me muito. Dói-me a barriga. (*que*)

____

2. A mãe faz o jantar. A Sofia põe a mesa. (*enquanto*)

____

3. Estou muito cansado. Vou já dormir. (*que*)

____

4. Eles estiveram em Tomar. Foram visitar o convento. (*quando*)

____

5. O Rui dá uma festa para os amigos. Ele faz anos. (*sempre que*)

____

V - Qual a expressão correcta?

Ainda bem	**Não faz mal**
Coitado de	**Não tem de quê**
Com licença	**Que pena**
Estou sim	**Que tal**
Isso é que é preciso	**Sem dúvida**

1. — ______________________? Gostas do meu vestido novo?
— É muito giro.

2. — Peço imensa desculpa pelo atraso, Miguel.
— ______________________, Steve.

3. — O senhor ajudou-me bastante. Muito obrigado.
— ______________________.

4. — Já estou melhor do braço.
— ______________________!

5. — Está? É de casa da Sofia?
— Não, não. É engano.
— Desculpe. ______________________.

6. — A água está mesmo boa.
— ______________________! Não trouxemos os fatos de banho...

7. — Podemos tirar umas ideias interessantes da exposição.
— Sim, ______________________.

8. — O que é que lhe aconteceu?
— Caiu do escadote e partiu o braço.
— ______________________ o Paulo! Teve mesmo azar.

9. — Já não tenho dores, senhor doutor.
— Óptimo! ______________________.

10. — ______________________?
— Donde é que fala, por favor?

VI - O que é que a Teresa fez no fim-de-semana?

	sábado	domingo
manhã	• acordar às 09:00 • ir às compras com a mãe	• dormir até ao meio-dia
tarde	• ler o jornal	• fazer arrumações no quarto
noite	• ouvir música • sair com amigos	• escrever aos avós • ver televisão • deitar-se cedo

No sábado de manhã, a Teresa ______________________
____
____
____
____
____
____
____

Áreas gramaticais/Estruturas

Pretérito perfeito simples: **vir**

Preposições: **para, por**

Conjugação perifrástica: **haver de + infinitivo**

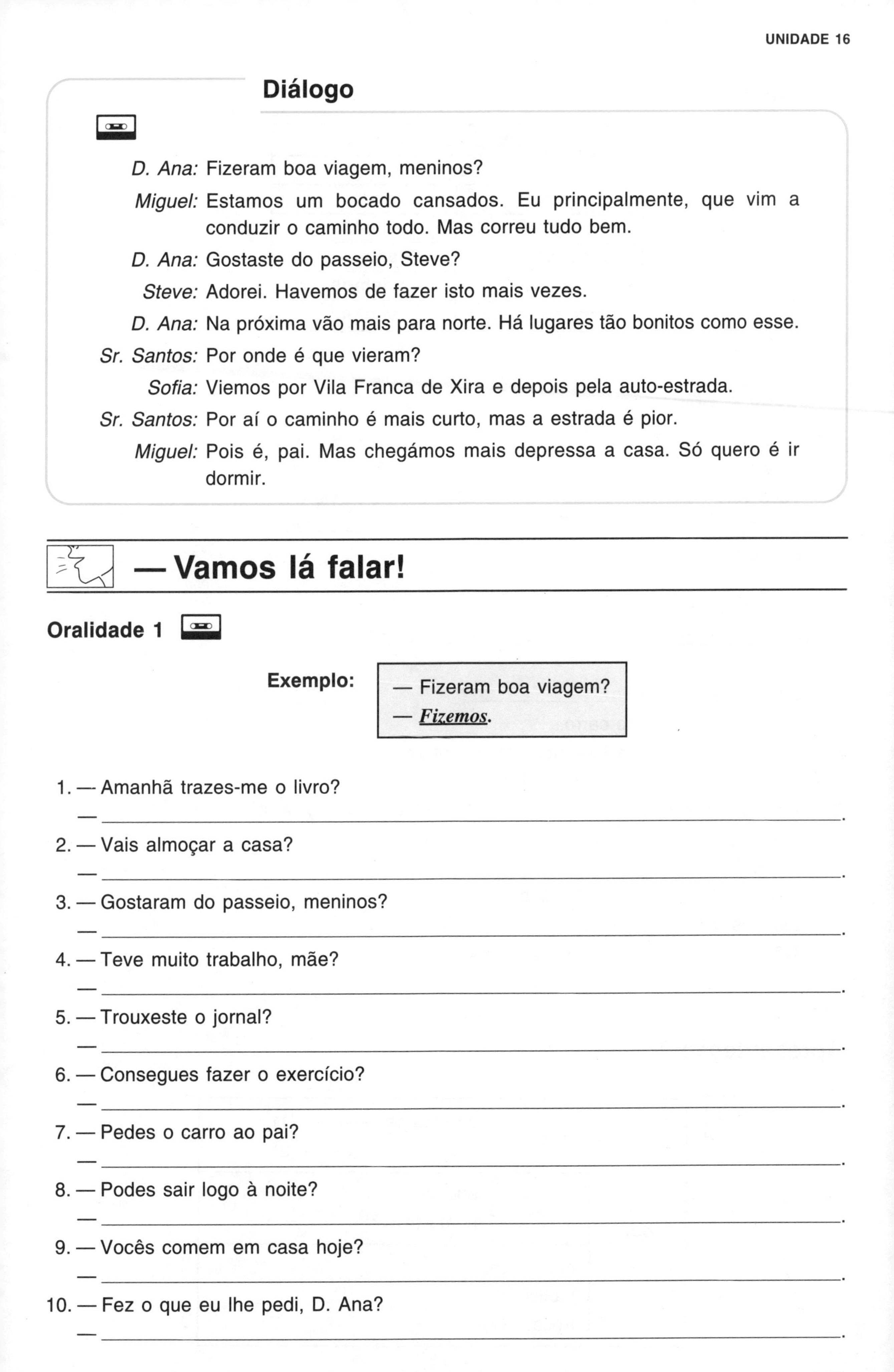

Diálogo

D. Ana: Fizeram boa viagem, meninos?

Miguel: Estamos um bocado cansados. Eu principalmente, que vim a conduzir o caminho todo. Mas correu tudo bem.

D. Ana: Gostaste do passeio, Steve?

Steve: Adorei. Havemos de fazer isto mais vezes.

D. Ana: Na próxima vão mais para norte. Há lugares tão bonitos como esse.

Sr. Santos: Por onde é que vieram?

Sofia: Viemos por Vila Franca de Xira e depois pela auto-estrada.

Sr. Santos: Por aí o caminho é mais curto, mas a estrada é pior.

Miguel: Pois é, pai. Mas chegámos mais depressa a casa. Só quero é ir dormir.

— Vamos lá falar!

Oralidade 1

Exemplo:

— Fizeram boa viagem?
— ***Fizemos.***

1. — Amanhã trazes-me o livro?
— ______________________.
2. — Vais almoçar a casa?
— ______________________.
3. — Gostaram do passeio, meninos?
— ______________________.
4. — Teve muito trabalho, mãe?
— ______________________.
5. — Trouxeste o jornal?
— ______________________.
6. — Consegues fazer o exercício?
— ______________________.
7. — Pedes o carro ao pai?
— ______________________.
8. — Podes sair logo à noite?
— ______________________.
9. — Vocês comem em casa hoje?
— ______________________.
10. — Fez o que eu lhe pedi, D. Ana?
— ______________________.

Apresentação 1

Pretérito perfeito simples	
Verbo **vir**	
(eu)	**vim**
(tu)	**vieste**
(você, ele, ela)	**veio**
(nós)	**viemos**
(vocês, eles, elas)	**vieram**

Oralidade 2

1. Eu vim
2. Tu vieste
3. Você veio
4. Ele veio
5. Ela veio
6. Nós viemos
7. Vocês vieram
8. Eles vieram
9. Elas vieram

Oralidade 3

1. — Como é que vocês ____________?
   — ____________ de carro.
2. — ____________ sozinha para casa, Sofia?
   — Não. ____________ com o Paulo.
3. — Porque é que não ____________ trabalhar ontem, D. Ana?
   — Não ____________, porque estive doente.
4. — O Rui ____________ a pé?
   — Não. ____________ de bicicleta.
5. — Os pais dele ____________ de comboio?
   — Não. ____________ de camioneta.

Apresentação 2

A

por	local	através de ——•——→ (1) perto de ——→ (2)
	tempo	época (3) horas (4)
	meio (5) motivo (6) troca (7)	

Oralidade 4

1. Eles vieram **pela** ponte e depois **pela** auto-estrada.
2. Esse autocarro passa **por** minha casa.
3. Os avós do Miguel vêm sempre a Portugal **pela** Páscoa.
4. Ela deve chegar **pelas** cinco da tarde.
5. Vou mandar o livro **pelo** correio.
6. Ela está em casa **por** doença.
7. Ele pagou 23.000$00 **pelo** arranjo do carro.

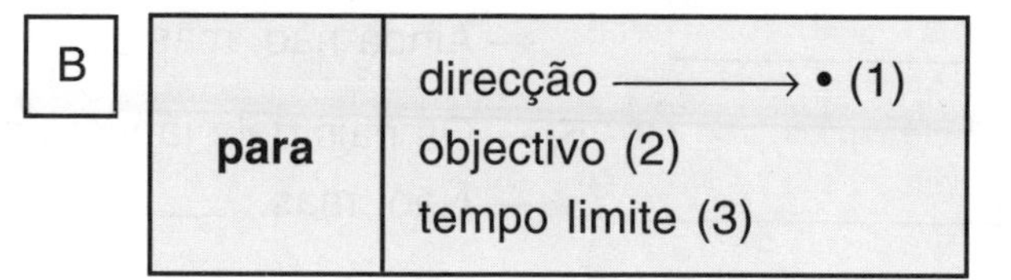

B

para	direcção ——→ • (1) objectivo (2) tempo limite (3)

Oralidade 5

1. Esta camioneta vai **para** Tomar.
2. O Steve está a tirar um curso **para** aprender português.
3. Quero o relatório pronto **para** amanhã, D. Ana.

Oralidade 6

1 ________ ir até Tomar, o senhor segue sempre ________ esta estrada.
2. Ele escreve ________ prazer e não ________ necessidade.
3. O Miguel veio ________ Vila Franca e depois ________ auto-estrada.
4. Pagámos 2.500$00 ________ almoço.
5. A avenida passa ________ praia.
6. Os pais do Steve vêm a Portugal ________ visitar o filho.
7. Os tios da Sofia vêm sempre a Lisboa ________ Natal.
8. O Sr. Santos precisa do carro pronto ________ o meio-dia.
9. O comboio ________ o Porto parte às 20:30. O Dr. Lemos deve chegar ao hotel ________ meia-noite.
10. Mandei a carta ________ avião ________ chegar mais depressa.

Apresentação 3

Futuro - intenção/convicção			
haver de + infinitivo			
(eu)	hei-	de	fazer ir saber
(tu)	hás-		
(você, ele, ela)	há-		
(nós)	havemos		
(vocês, eles, elas)	hão-		

Oralidade 7

1. Eu **hei-de** falar com ele.
2. Tu **hás-de** ir comigo aos E.U.A..
3. Ele **há-de** saber o que aconteceu.
4. Nós **havemos de** fazer isso mais vezes.
5. Eles **hão-de** voltar à Ilha do Lombo.

Oralidade 8

1. — Já leste este livro?
   — Não, mas ____________________.
2. — Já falaram com ele?
   — Ainda não, mas ____________________.
3. — Nunca fui a Tomar.
   — Deixa lá. Um dia ____________________.
4. — Ele já sabe o que aconteceu?
   — Ainda não, mas ____________________.
5. — Os pais dele já vieram a Portugal?
   — Não, mas ____________________.
6. — Já conseguiu abrir a janela?
   — Está difícil, mas ____________________.

Texto

O Miguel, a Sofia e o Steve já estão de volta. Chegaram um pouco antes do jantar. O Miguel guiou todo o caminho e chegou tão cansado que nem quis comer nada — foi-se logo deitar. A Sofia e o Steve ainda ficaram a conversar com os pais sobre a viagem. O Steve, principalmente, adorou o passeio.

Steve: Fiquei encantado com todos os lugares por onde passámos. Os meus pais vêm cá pela Páscoa e hei-de ir lá com eles.

— Vamos lá escrever!

Compreensão

1. Quando é que eles chegaram?

___

2. Porque é que o Miguel se foi logo deitar?

___

3. Com quem é que a Sofia e o Steve ficaram a conversar? Sobre o quê?

___

4. O que é que o Steve disse do passeio?

___

5. O Steve tenciona voltar lá? Com quem?

___

Escrita 1

Escreva uma nova frase com o mesmo sentido da anterior. Utilize uma palavra/expressão do quadro:

adorar	**correr bem**
chegar	haver de
conduzir	ir para a cama

1. Não tivemos nenhum problema.
   *Correu tudo bem*___.

2. Tenciono voltar a Tomar com os meus pais.
   ___.

3. Eles gostaram muito do passeio.

____.

4. O Miguel, a Sofia e o Steve já estão de volta.

____.

5. O Miguel guiou todo o caminho.

____.

6. Vou-me já deitar.

____.

Escrita 2

Exemplo:

Eles estiveram a conversar sobre a viagem. *Sobre o que é que eles estiveram a conversar*?

1. Nós viemos pela auto-estrada.

____?

2. Eles foram sair com os amigos.

____?

3. Preciso do carro pronto para as três horas.

____?

4. Ela comprou o casaco por 34.500$00.

____?

5. Esse comboio vai para o Porto.

____?

Sumário

Objectivos funcionais

Dar ênfase	«Só quero é ir dormir.»
Expressar agrado	«Adorei.» «Fiquei encantado com todos os lugares...»
Expressar { intenção / convicção	«Eu hei-de falar com ele.» «Ele há-de saber o que aconteceu.»
Falar de acções passadas	«Mas correu tudo bem.»
Perguntar / Indicar { o trajecto	«Por onde é que vieram?» «Viemos por Vila Franca de Xira e depois pela auto-estrada.»

Vocabulário

Substantivos e adjectivos:

o arranjo a auto-estrada o correio	a doença encantado (adj.) a estrada	a necessidade a ponte a praia	o prazer o relatório Vila Franca de Xira

Expressões:

correr bem	estar de volta	ficar encantado (com)	um bocado

Verbos:

adorar conduzir	conversar (sobre) guiar	haver de	tencionar

UNIDADE 17

«Então hoje não houve aulas, hem!»

Áreas gramaticais/Estruturas

Pretérito perfeito simples:	**haver (forma impessoal), saber**
Pronomes pessoais complemento directo e indirecto:	**nos, vos, os, as, lhes**

Advérbios:	**afinal**
Conjunções:	**contudo**
Locuções adverbiais:	**a sério**
Locuções prepositivas:	**a partir de, antes de, ao pé de**

Diálogo

Miguel: Então hoje não houve aulas, hem!

Steve: Pois não. Tivemos uma visita de estudo. Mas como é que soubeste?

Miguel: Disse-me o Juan, o teu amigo espanhol. Estive mesmo agora com ele no café.

Sofia: Afinal, aonde é que foram?

Steve: Ao Museu Rafael Bordalo Pinheiro. Fomos com a nossa professora e ela falou-nos da história do museu e da obra do artista.

Sofia: Ah! É muito giro, não é?

Steve: É, é. É giríssimo. O pior é que agora tenho de fazer uma composição sobre o que lá vi.

— Vamos lá falar!

Oralidade 1

Exemplo:

— Foste ao museu, não foste?
— ***Fui, fui***.

1. — Vieste a pé, não vieste?
— ____________, ____________.
2. — A senhora é do Porto, não é?
— ____________, ____________.
3. — Estás muito cansado, não estás?
— ____________, ____________.
4. — Viste este filme, não viste?
— ____________, ____________.
5. — Sabe falar alemão, não sabe?
— ____________, ____________.
6. — Já lhe deu o recado, não deu?
— ____________, ____________.

Apresentação 1

Pretérito perfeito simples
Verbo **haver**
forma impessoal: **houve**

Oralidade 2

1. Hoje não **houve** aulas.
2. Ontem **houve** um acidente ao pé da escola.
3. Não **houve** problemas com o exercício?
4. Na semana passada **houve** uma reunião de professores.
5. Hoje de manhã **houve** uma avaria no metro.

Apresentação 2

Pretérito perfeito simples		
Verbo **saber**		
(eu)		**e**
(tu)		**este**
(você, ele, ela)	**soub**	**e**
(nós)		**emos**
(vocês, eles, elas)		**eram**

Oralidade 3

1. Eu soube
2. Tu soubeste
3. Você soube
4. Ele soube
5. Ela soube
6. Nós soubemos
7. Vocês souberam
8. Eles souberam
9. Elas souberam

Oralidade 4

1. — ______________ do acidente do Paulo, Rita?
   — Não, não ______________ de nada.
2. — Como é que vocês ______________ que eu hoje não tive aulas?
   — ______________ pelo Juan.
3. — ______________ fazer isso tudo, D. Ana?
   — ______________ sim, senhor doutor.
4. — Quem é que ______________ resolver o exercício?
   —______________ todos.
5. — Vocês ______________ o que aconteceu?
   — ______________.

Apresentação 3

	Pronomes pessoais complemento	
	directo	indirecto
(nós)	**nos**	**nos**
(vocês)	**vos**	**vos**
(os senhores) (as senhoras) (eles) (elas)	**os, as**	**lhes**

Oralidade 5

1. — O que é que ________ apetece beber, meninos?
   — Apetece-________ um sumo bem fresco.
2. — Posso fazer-________ uma pergunta, meus senhores?
   — Com certeza.
3. — Já não temos transporte. Podes levar-________ a casa?
   — Está bem. Eu levo-________.
4. A Teresa convidou-________, mas eles não quiseram ir.
5. Eu já ________ chamei, mas as senhoras não me ouviram.
6. Não fomos, porque ninguém ________ disse nada.
7. Já não sei dos bilhetes. Perdi-________ com certeza.
8. Escrevi-________ na semana passada, mas eles ainda não me responderam.
9. Vocês não me viram, mas eu vi-________.
10. Podes levar as revistas. Já ________ li.

Texto

Rafael Bordalo Pinheiro (1846-1905) foi uma figura importante no meio cultural e artístico lisboeta do século XIX, com uma obra variada no campo das artes plásticas, das artes gráficas e da cerâmica. No entanto, foi principalmente como caricaturista que Rafael Bordalo Pinheiro ficou célebre. Primeiro começou a fazer caricaturas apenas para divertir os amigos. Estas, contudo, tiveram tanto êxito que, a partir de 1874, o artista decidiu dedicar-se a sério à carreira de caricaturista.

As figuras que criou exerceram uma acção crítica e pedagógica sobre a sociedade contemporânea. De entre todas, o Zé Povinho, símbolo do povo português, é sem dúvida a mais famosa.

— Vamos lá escrever!

Compreensão

1. Quem foi Rafael Bordalo Pinheiro?

____

2. Em que ano é que ele morreu?

____

3. Em que campo é que ficou célebre?

____

4. A partir de quando é que se dedicou a sério à caricatura? Porquê?

____

5. Qual é a figura mais famosa do artista? O que é que ela representa?

____

Escrita 1

Exemplo: Eles foram ao Museu Rafael Bordalo Pinheiro.
***A que museu é que eles foram*?**

1. A professora falou sobre a vida e obra do artista.

______________________________?

2. Ele morreu no século XX.

______________________________?

3. Ele dedicou-se principalmente à carreira de caricaturista.

______________________________?

4. A partir de 1884 dedicou-se também à cerâmica.

______________________________?

5. Eles gostaram muito da figura do Zé Povinho.

______________________________?

Escrita 2

Complete com verbos na forma correcta.

Santa Cruz Magalhães ______________ (*ser*) um grande admirador de Rafael Bordalo Pinheiro. Durante anos ______________ (*reunir*) as obras deste artista e ______________ (*guardar*)-as em casa. Com elas ______________ (*fazer*) no 1.º andar um museu que mais tarde ______________ (*abrir*) ao público. Antes de ______________ (*morrer*), ______________ (*oferecer*)-o à cidade de Lisboa. Assim ______________ (*nascer*) o Museu Rafael Bordalo Pinheiro.

Sumário

Objectivos funcionais

Concordar, reforçando	«É, é. É giríssimo.»
Expressar admiração	«Mas como é que soubeste?»
Expressar agrado	«É muito giro, não é?»
Falar de acções passadas	«Ontem houve um acidente ao pé da escola.»
Gracejar	«Então hoje não houve aulas, hem!»

Vocabulário

Substantivos e adjectivos:

a acção o admirador a arte {plástica / gráfica} o artista artístico (adj.) a avaria a caricatura	o caricaturista célebre (adj.) a cerâmica a composição contemporâneo (adj.) crítico (adj.) cultural (adj.) o êxito	importante (adj.) lisboeta (adj.) o Museu Rafael Bordalo Pinheiro a obra pedagógico (adj.) o povo o público	o século o símbolo a sociedade o transporte variado (adj.) a visita (de estudo) o Zé Povinho

Expressões:

exercer acção (sobre)	ter êxito		

Verbos:

criar dedicar-se (a) divertir	exercer morrer	oferecer representar	responder reunir

Áreas gramaticais/Estruturas

Imperativo (negativo)

Pretérito perfeito simples: **dar**

Locuções prepositivas: **fora de, perto de**

Diálogo

Sofia: Está quieto, Rui! Não me atires areia!
Steve: Ufa! Está cá um calor! Nem sei como é que consegues estar aí deitada.
Sofia: Já percebi. Queres companhia para tomar banho.
Rui: Embora! Vamos todos ao banho.
Sofia: Vão, vão. Eu fico aqui a apanhar sol.
Rui: Ó Miguel, já deste mergulhos dali, daquela rocha?
Miguel: Já, mas nem penses nisso. És muito pequeno.
Steve: Anda, Rui. Traz o colchão.

— Vamos lá falar!

Oralidade 1

Exemplo:

______ o colchão, Rui. (*trazer*)
Traz o colchão, Rui.

1. ______ o chapéu, Sofia. (*pôr*)
2. ______ dinheiro ao vosso pai. (*pedir*)
3. ______ -me as vossas toalhas. (*dar*)
4. ______ o fato de banho, mãe. (*vestir*)
5. ______ quietos! (*estar*)
6. ______ o chapéu-de-sol, meninos. (*levar*)
7. ______ todos tomar banho. (*vir*)
8. ______ o cesto para a praia. (*arranjar*)
9. ______ para a sombra. (*ir*)
10. ______ fruta. (*comer*)

Apresentação 1

Imperativo (negativo)		
singular		plural
formal	informal	formal e informal
Não atire!	Não **atires!**	Não atirem!

N.B.: Singular informal = **singular formal + s**

Oralidade 2

Exemplo:

Atira areia!
Não ***atires areia***!

1. Pensa nisso.
   Não ______________________________.
2. Abra a janela, por favor.
   Não ______________________________.
3. Traz o colchão.
   Não ______________________________.
4. Senta-te à mesa.
   Não ______________________________.

5. Convida-a para a festa.
   Não ______________________.
6. Façam esse exercício.
   Não ______________________.
7. Põe aí a pasta, Rui.
   Não ______________________.
8. Diz à Sofia.
   Não ______________________.
9. Vê esse filme.
   Não ______________________.
10. Feche o chapéu-de-sol.
   Não ______________________.

Apresentação 2

Pretérito perfeito simples	
Verbo **dar**	
(eu)	**dei**
(tu)	**deste**
(você, ele, ela)	**deu**
(nós)	**demos**
(vocês, eles, elas)	**deram**

Oralidade 3

1. Eu dei
2. Tu deste
3. Você deu
4. Ele deu
5. Ela deu
6. Nós demos
7. Vocês deram
8. Eles deram
9. Elas deram

Oralidade 4

1. — O que é que ______________ à sua amiga?
   — ______________-lhe uma pulseira giríssima.
2. — Quem é que me ______________ estas flores?
   — Acho que foram os avós que te ______________.
3. — Vocês ______________ erros na composição?
   — Não ______________ muitos.
4. — ______________ uma volta pelos jardins, Steve?
   — ______________ e gostei muito.
5. — Vocês já me deram o dinheiro dos bilhetes?
   — Eu já ______________, mas ela ainda não te ______________

Oralidade 5

Exemplo:

— Arruma o quarto.
— *Já o arrumei.*

1. — Façam as camas.
   — ______________________.
2. — Arrume o jornal.
   — ______________________.
3. — Contem ao Steve o que aconteceu ontem.
   — ______________________.
4. — Fala com o teu irmão.
   — ______________________.
5. — Guarda as revistas.
   — ______________________.
6. — Comprem os bilhetes.
   — ______________________.
7. — Escreve aos teus pais.
   — ______________________.
8. — Telefone ao Sr. Pinto.
   — ______________________.
9. — Liga a televisão.
   — ______________________.
10. — Convide os avós.
    — ______________________.

Texto

No Verão, a família Santos vai de férias para a Costa da Caparica. Eles têm lá uma casa mesmo ao pé da praia.

Naqueles dias em que faz realmente calor, costumam ficar o dia todo na praia. Levam sandes, fruta e a geleira cheia de refrescos. A D. Ana e o Sr. Santos preferem ficar sentados à sombra, debaixo do chapéu, mas a Sofia gosta de se deitar ao sol para ficar bem queimada. O Miguel e o Rui estão mais tempo dentro do que fora de água e, quando o mar está calmo, vão a nadar até às outras praias.

No fim do dia, ao entardecer, dão um último mergulho e vão a pé para casa ainda molhados.

— Vamos lá escrever!

Compreensão

1. Onde é que a família Santos passa as férias grandes?
____
2. O que é que eles costumam fazer quando está muito calor?
____
3. O que é que eles levam para a praia?
____
4. O Miguel e o Rui gostam de tomar banho? Justifique com uma frase do texto.
____
5. Quando é que eles voltam para casa?
____

Escrita 1

Complete com o verbo **ficar** na forma correcta e com uma palavra / expressão do quadro:

à sombra
cansados
muito queimada
na praia até ao entardecer
perto da praia

1. A casa de férias _______________.
2. Quando vai para a praia, a D. Ana prefere _______________.
3. Naqueles dias em que faz realmente calor, eles _______________
_______________.
4. A Sofia esteve deitada ao sol e _______________.
5. O Miguel e o Rui nadaram até às outras praias e _______________.

Escrita 2

Conjugue os verbos no pretérito perfeito simples:

1. Quando _______________ à praia, foram logo dar um mergulho. (*chegar*)
2. O Miguel e os irmãos _______________ passar o dia na praia. (*resolver*)
3. Depois, a Sofia_______________ ao sol e o Miguel e o Rui _______________ jogar à bola. (*deitar-se / ir*)
4. Ontem _______________ muito calor. (*estar*)
5. Por isso, _______________ cedo e, depois do pequeno-almoço, _______________ umas sandes, frutas e bebidas para pôr no cesto. (*levantar-se / arranjar*)

Escrita 3

O que é que eles fizeram ontem?

Agora ponha as frases do exercício anterior na ordem correcta.

____
____
____
____
____
____
____

Sumário

Objectivos funcionais

Dar ênfase	«Está cá um calor.»
Dar ordens	«Está quieto, Rui!» «Não me atires areia!» «... nem penses nisso.»
Dar uma sugestão	«Embora! Vamos todos ao banho.»
Expressar impaciência	«Ufa!»
Falar de acções passadas	«... já deste mergulhos dali...?»

Vocabulário

Substantivos e adjectivos:

a areia calmo (adj.) o cesto o chapéu o chapéu-de-sol	o colchão a companhia deitado (adj.) o entardecer a flor	a geleira o mar o mergulho molhado (adj.) a pulseira	queimado (adj.) o refresco a rocha a sombra a toalha

Expressões:

à sombra ao sol	apanhar sol dar mergulhos	Embora! Está cá um calor!	estar deitado fazer calor

Verbos:

arrumar atirar	costumar	nadar	pensar (em)

UNIDADE 19

«Onde é que puseste o martelo e as cavilhas?»

Áreas gramaticais/Estruturas

Pretérito perfeito simples:	**pôr**
Pronomes pessoais complemento directo:	**lo(s), la(s), no(s), na(s)**

Advérbios:	**dentro**

Diálogo

Steve: Já foste comprar as pilhas para a lanterna?
Miguel: Não, ainda não fui.
Steve: Então não vás já. Ajuda-me primeiro a montar a tenda.
Miguel: Onde é que puseste o martelo e as cavilhas?
Paulo: Vê aí na minha mochila. Acho que os pus lá dentro.
Miguel: Temos de esticar bem as cordas por causa do vento.
Steve: Estou a puxá-las com toda a força.

....

Paulo: Pronto. A tenda já está bem presa. Querem dar uma volta pelo parque de campismo?
Miguel: Esperem aí. Vou só guardar a minha mochila.

— Vamos lá falar!

Oralidade 1

Exemplo:

— Já guardaste o martelo?
— ***Não, ainda não o guardei***.
— ***Então não o guardes já***. Vou precisar dele.

1. — Já esticaram as cordas?
— ____________________.
— ____________________. Fechem primeiro a tenda.

2. — Já arrumaste a mochila?
— ____________________.
— ____________________. Preciso de tirar a carteira.

3. — Já leram as instruções?
— ____________________.
— ____________________. Ajudem-me aqui primeiro.

4. — Já fizeste o café?
— ____________________.
— ____________________. Arranja primeiro as sandes.

5. — Já viu esse filme?
— ____________________.
— ____________________. Leia primeiro o livro.

Apresentação 1

Pretérito perfeito simples	
Verbo **pôr**	
(eu)	**pus**
(tu)	**puseste**
(você, ele, ela)	**pôs**
(nós)	**pusemos**
(vocês, eles, elas)	**puseram**

Oralidade 2

1. Eu pus
2. Tu puseste
3. Você pôs
4. Ele pôs
5. Ela pôs
6. Nós pusemos
7. Vocês puseram
8. Eles puseram
9. Elas puseram

Oralidade 3

1. — Onde é que tu ______________ o martelo?
   — Acho que o ______________ na minha mochila.
2. — ______________ tudo no saco, meninos?
   — ______________.
3. — Eles ______________ os casacos e saíram.
4. — A senhora ______________ as cartas em cima da minha secretária?
   — ______________, sim.
5. — O Steve ______________ a mochila às costas e foi-se embora.

Apresentação 2

A

Formas verbais terminadas em:	Complemento directo 3.ª pessoa as formas **-lo, -la, -los, las**
-~~r~~ **-~~s~~** **-~~z~~**	**-lo** **-la** **-los** **-las**

Oralidade 4

1. Vou ver **os meus amigos**.
   Vou vê-**los**.
2. Tu paga**s** **a conta**.
   Tu paga-**la**.
3. Ela tra**z** **o carro**.
   Ela trá-**lo**.

N.B.:

4. Ele que**r** **a caneta**.
   Ele quer**e-a**.
5. Tu ten**s** **o meu livro**.
   Tu te**m-lo**.

B

Formas verbais terminadas em:	Complemento directo 3.ª pessoa as formas **-no, -na, -nos, nas**
-ão **-õe** **-m**	**-no** **-na** **-nos** **-nas**

Oralidade 5

1. Eles d**ão as revistas** à mãe.
   Eles d**ão-nas** à mãe.
2. A Sofia p**õe a mesa**.
   A Sofia p**õe-na**.
3. Elas toma**m o pequeno-almoço** às oito.
   Elas toma**m-no** às oito.
4. Eles encontrar**am os documentos**.
   Eles encontrar**am-nos**.

Oralidade 6

Exemplo: Estou a puxar as cordas com toda a força.
Estou a puxá-las com toda a força.

1. Podes guardar o martelo e as cavilhas. ______.
2. Tens a carteira na mochila? ______?
3. Ajuda-me a montar a tenda. ______.
4. Estou a esticar as cordas. ______.
5. Põe o saco-cama lá dentro. ______.
6. Puseram os casacos e foram dar uma volta. ______.
7. Fechem a porta à chave. ______.
8. Eles dão os bilhetes ao empregado. ______.
9. Faz o café primeiro. ______.
10. Vês o filme connosco? ______?

Texto

O pai do Miguel deu-lhe uma tenda pelo aniversário. Como ele fez anos em Janeiro, ainda não teve oportunidade de estreá-la. Vai aproveitar as férias da Páscoa, que este ano calham no fim de Abril, para ir acampar com o Steve e o Paulo para o Algarve. Normalmente nesta altura do ano o tempo já está bom e os parques não estão muito cheios, porque há pouca gente de férias.

Partiram de Lisboa à boleia no sábado de manhã com um lindo dia de sol. Mas tiveram muito azar. Logo na primeira noite caiu uma enorme carga de água e durante todo o dia seguinte choveu. Bem diz o povo: «Abril, águas mil».

No entanto nem tudo foram desgraças. O tempo melhorou e conheceram um grupo de escoceses, mais ou menos da idade deles, com quem passaram a maior parte dos dias — o Miguel e o Paulo praticaram o inglês e o Steve matou saudades da língua dele.

— Vamos lá escrever!

Compreensão

1. O que é que o Miguel recebeu no dia de anos?

____

2. Porque é que ele ainda não a estreou?

____

3. Porque é que eles resolveram ir acampar nas férias da Páscoa?

____

4. Como é que eles foram para o Algarve?

____

5. Estiveram os três sozinhos durante esses dias? Justifique.

____

Escrita 1

Explique, por palavras suas, o sentido das seguintes frases:

1. O Miguel ainda não teve oportunidade de estrear a tenda.

______________________________.

2. Este ano as férias da Páscoa calharam em Abril.

______________________________.

3. Logo na primeira noite caiu uma enorme carga de água.

______________________________.

4. Bem diz o povo: «Abril, águas mil».

______________________________.

5. O Steve matou saudades da língua dele.

______________________________.

Escrita 2

Como	mas
desde que	no entanto
enquanto	porque

1. O Miguel tem uma tenda nova. Ainda não a estreou.
   O Miguel tem uma tenda nova, mas ainda não a estreou.
2. Há pouca gente de férias. Os parques de campismo não estão muito cheios.
   ____
3. No primeiro dia esteve sempre a chover. No segundo o tempo já melhorou.
   ____
4. Tiveram muito azar. Logo na primeira noite caiu uma enorme carga de água.
   ____
5. Já passaram três meses. O Miguel recebeu a tenda.
   ____

Sumário

Objectivos funcionais

Dar uma sugestão	«Querem dar uma volta pelo parque de campismo?»
Falar de acções passadas	«Onde é que puseste o martelo e as cavilhas?»
Recomendar	«Então não vás já.»

Vocabulário

Substantivos e adjectivos:

o aniversário	as costas	a língua	a pilha
a carga (de água)	enorme (adj.)	o martelo	preso (adj.)
a carteira	o escocês	a mochila	o saco-cama
a cavilha	a força	a oportunidade	as saudades
a chave	o grupo	o parque	a tenda
cheio (adj.)	a lanterna	(de campismo)	o vento
a corda			

Expressões:

a maior parte de	fechar à chave	matar saudades (de)	ir-se embora
cair uma carga de água	mais ou menos	montar a tenda	ter oportunidade (de)
estar preso			

Verbos:

acampar	esticar	matar	montar
calhar	estrear	melhorar	puxar
chover			

UNIDADE 20

«Mostrámos-te tudo o que pudemos.»

Áreas gramaticais/Estruturas

Pretérito perfeito simples: **poder**

Pronomes pessoais
complemento circunstancial: **mim, ti, si**

Advérbios: **imediatamente, particularmente**
Locuções adverbiais: **além disso**

Diálogo

Rui: Que pena, Steve! Já te vais embora hoje.

Steve: Pois é. Passou tão depressa... Mas valeu a pena. O meu português melhorou bastante e além disso fiz bons amigos em Portugal.

Sofia: E nós gostámos muito de te ter cá. Mostrámos-te tudo o que pudemos.

Steve: Acho que vou ter saudades disto.

Miguel: Deixa lá. No próximo ano sou eu que vou para os Estados Unidos. O meu pai já disse que sim.

Steve: Que bom!

D. Ana: Toma, Steve. Estão aqui estas lembranças para ti e para os teus pais com os cumprimentos da família Santos.

Steve: Muito obrigado a todos.

Miguel: Então vamos descer. O pai já está no carro à nossa espera.

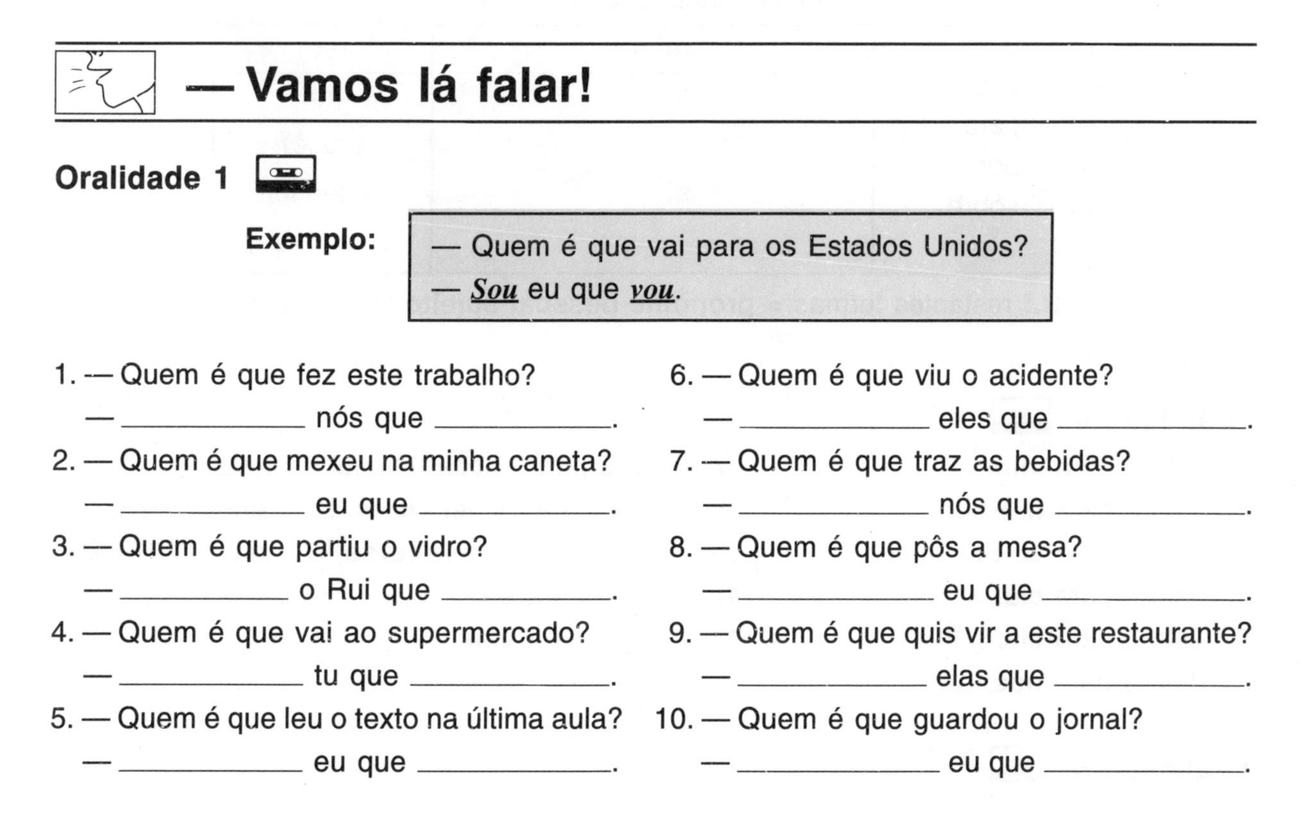

— Vamos lá falar!

Oralidade 1

Exemplo:

— Quem é que vai para os Estados Unidos?
— ***Sou*** eu que ***vou***.

1. — Quem é que fez este trabalho?
   — __________ nós que __________.
2. — Quem é que mexeu na minha caneta?
   — __________ eu que __________.
3. — Quem é que partiu o vidro?
   — __________ o Rui que __________.
4. — Quem é que vai ao supermercado?
   — __________ tu que __________.
5. — Quem é que leu o texto na última aula?
   — __________ eu que __________.
6. — Quem é que viu o acidente?
   — __________ eles que __________.
7. — Quem é que traz as bebidas?
   — __________ nós que __________.
8. — Quem é que pôs a mesa?
   — __________ eu que __________.
9. — Quem é que quis vir a este restaurante?
   — __________ elas que __________.
10. — Quem é que guardou o jornal?
    — __________ eu que __________.

Apresentação 1

Pretérito perfeito simples	
Verbo **poder**	
(eu)	**pude**
(tu)	**pudeste**
(você, ele, ela)	**p<u>ô</u>de**
(nós)	**pudemos**
(vocês, eles, elas)	**puderam**

Oralidade 2

1. Eu pude
2. Tu pudeste
3. Você pôde
4. Ele pôde
5. Ela pôde
6. Nós pudemos
7. Vocês puderam
8. Eles puderam
9. elas puderam

Oralidade 3

1. Eles não ______________ ir porque tiveram muito trabalho.
2. Eu não ______________ telefonar-te porque perdi o número.
3. Nós ______________ assistir à estreia porque o Miguel arranjou bilhetes.
4. Porque é que tu não ______________ vir ontem ao jogo?
5. Já não se ______________ ir ao Norte porque não houve tempo.

Apresentação 2

Preposições	pronomes pessoais complemento circunstancial	
de em para por sobre ...	**mim**	(eu)
	ti	(tu)
	si	(você) (o senhor) (a senhora)

N.B.: restantes formas = **pronome pessoal sujeito / tratamento.**

Oralidade 4

1. Isto é para **mim**.
2. Isto é para **ti**, Rui.
3. Isto é para **si**, Sr. Santos.
4. Isto é para **ele**.
5. Isto é para **ela**.
6. Isto é para **nós**.
7. Isto é para **vocês**, Miguel e Steve.
8. Isto é para **os senhores**, Dr. Lemos e Dr. Silva.
9. Isto é para **as senhoras**, D. Ana e D. Rosa.
10. Isto é para **eles**.
11. Isto é para **elas**.

Oralidade 5

Exemplo: Estão aqui estas lembranças para *ti*, Steve.

1. Esperem por ______________. Estou quase pronto.
2. Chegaram estas cartas para ______________, Dr. Lemos.
3. Ainda não falámos de ______________, Juan.
4. Trouxe estes presentes para ______________, meninos.
5. Esta encomenda é para ______________, D. Ana.
6. Eles não esperaram por ______________, por isso tivemos de ir de táxi.
7. Estiveram a conversar sobre ______________ e a minha situação na firma.

8. Pensámos em ______________ e comprámos-te este ramo de flores.
9. D. Dulce e D. Rosa, estão aqui estas revistas para ______________.
10. O Manuel faz anos amanhã. Esta prenda é para ______________.

Oralidade 6

Exemplo:

Vieste com o Miguel? *Vieste com ele?*

1. Levaram a Sofia a casa?
   ______________________________?
2. Escreveste aos teus pais?
   ______________________________?
3. Já compraste o jornal?
   ______________________________?
4. Queres vir comigo e com o Rui?
   ______________________________?
5. Posso convidar a Teresa e o Paulo?
   ______________________________?
6. Telefonou à minha mulher, D. Ana?
   ______________________________?

Texto

O Steve está na sala de embarque do Aeroporto da Portela à espera da chamada para o avião. Contente por ir rever a família, mas triste por deixar Portugal que já considera um segundo país, recorda este último ano: de todos os sítios que visitou ficou particularmente encantado com a zona do Zêzere, a região do Gerês e, claro está, a beleza das praias algarvias; os momentos felizes que passou em companhia dos rapazes e raparigas que cá conheceu e de quem ficou amigo; a família Santos que tão bem o acolheu e que ele nunca há-de esquecer.

Sabe, no entanto, que vai poder retribuir toda esta hospitalidade, pois o Miguel vai estudar para os Estados Unidos no ano que vem e a família Harris já o convidou para ficar lá em casa.

— Vamos lá escrever!

Compreensão

1. Onde é que o Steve está neste momento?
2. Em que é que está a pensar, enquanto espera pela chamada para o avião?
3. De todos os sítios que visitou, de quais é que gostou mais?
4. De toda a gente que conheceu, de quem é que se há-de lembrar sempre?
5. O Steve vai ter oportunidade de retribuir a maneira como a família Santos o tratou? Justifique.

Escrita 1

ano que vem	estar à espera
em companhia	gostar imenso
esquecer-se	ter oportunidade

1. O Miguel vai estudar para os Estados Unidos no próximo ano.
   O Miguel vai estudar para os Estados Unidos no ano que vem.
2. O Steve recorda os bons momentos que passou com tantos amigos que fez em Portugal.
3. O Steve ficou encantado com a região do Gerês.
4. Ele vai poder retribuir a hospitalidade da família Santos.
5. Ele há-de lembrar-se sempre do ano que passou em Portugal.
6. O Steve esperou pelos pais à porta do aeroporto.

Escrita 2

Complete com preposições (+ artigos) e verbos no pretérito perfeito simples:

O avião ________ Steve ________ (*chegar*) ________ Boston antes ________ hora prevista. Como não ________ (*ver*) os pais ________ aeroporto, ________ (*resolver*) telefonar ________ casa, mas já ninguém ________ (*atender*). No entanto não ________ (*ter*) ________ esperar muito ________ eles. ________ (*chegar*) cinco minutos depois e quando ________ (*ver*) o filho ________ porta ________ aeroporto ________ (*ficar*) admirados, mas muito felizes pois ________ (*poder*) abraçá-lo imediatamente.

Já ________ casa, o Steve ________ (*dar*)-lhes as lembranças que ________ (*trazer*) ________ Portugal e ________ jantar ________ (*conversar*) ________ a família Santos e todos os amigos que ________ (*fazer*) ________ Lisboa.

Sumário

Objectivos funcionais

Dar ênfase	«... sou eu que vou para os Estados Unidos.»
Dar os cumprimentos	«... com os cumprimentos da família Santos.»
Expressar contentamento	«Que bom!»
Expressar tristeza	«Passou tão depressa...»
Falar de acções passadas	«Mostrámos-te tudo o que pudemos.»

Vocabulário

Substantivos e adjectivos:

admirado (adj.) o Aeroporto da Portela algarvio (adj.) a beleza os cumprimentos	a encomenda feliz (adj.) a firma o Gerês a hospitalidade	a lembrança a maneira a pena previsto (adj.) o ramo	a rapariga o rapaz a região a sala de embarque a zona

Expressões:

arranjar bilhetes claro está com os cumprimentos de dizer que sim	em companhia de estar à espera fazer amigos	ficar { admirado / amigo (de)	o ano que vem Toma, (Steve). ter saudades (de) valer a pena

Verbos:

abraçar acolher	considerar recordar	retribuir rever	valer

REVISÃO

16/20

I - Qual a expressão correcta?

Com os cumprimentos	Pois não
Embora	Que bom
Espera aí	Que pena
Está cá um calor	Toma lá
Pois é	Um bocado

1. — Tens uma caneta preta?
   — Tenho. ____________________.
2. — Esperaram muito por mim?
   — ____________________.
3. — Vamos ao banho?
   — Vamos! ____________________!
4. — Aqui tens estas lembranças, ____________________ da família Santos.
   — Muito obrigado.
5. — Pela ponte o caminho é mais curto.
   — ____________________.
6. — O meu pai disse que eu posso ir para os Estados Unidos, Steve.
   — ____________________!
7. — Querem ir dar uma volta?
   — ____________________!
8. — Então hoje não houve aulas, hem!
   — ____________________.
9. — Já estás pronto?
   — ____________________. Vou só pôr o casaco.
10. — Está a chover muito. Não podemos ir jogar.
    — ____________________!

II - Conjugue no pretérito perfeito simples:

dar / dizer / haver / ir / poder / pôr / saber / ter / vir

1. — Já __________ que ontem não __________ aulas.
   — Quem é que te __________?
2. — Chegaste tão cedo?!
   — __________com o Miguel; ele __________-me boleia.

3. — Porque é que não __________ connosco ao cinema?
   — Não __________. __________ de estudar.

4. — Onde é que __________ o relatório, D. Ana?
   — __________-lo em cima da sua secretária.

5. — Que caminho é que vocês fizeram?
   — Para lá __________ pela estrada velha, para cá __________ pela auto-estrada.

III - Complete com as seguintes preposições (com ou sem artigo):

de / para / por

1. Quando saiu ______ aeroporto, o Steve ainda teve ______ esperar ______ pais.
2. Paguei 12.500$00 ______ dicionário ______ português.
3. Precisamos ______ dinheiro ______ os bilhetes.
4. Devo estar ______ volta ______ 18:30.
5. A camioneta ______ Tomar passa ______ Vila Franca.
6. O Steve há-______ voltar ______ matar saudades ______ amigos.
7. Soubemos ______ acidente ______ Paulo ______ irmã dele.
8. Mandei a encomenda ______ avião ______ chegar mais depressa.
9. Falaram ______ família Santos e ______ todos os lugares ______ onde o Steve passou.
10. Preciso ______ cartas prontas ______ amanhã.

IV - Complete com os pronomes pessoais:

1. Está aqui uma carta para ______, Dr. Lemos.
2. Já comprámos os bilhetes. Comprámo-______ hoje de manhã.
3. O Paulo também quer ir. Podes dar-______ boleia?
4. As torradas estão prontas. Comam-______ enquanto estão quentes.
5. Não conseguimos fazer o exercício sozinhos, mas a professora ajudou-______.
6. Ainda não li essa revista. Vou lê-______ hoje à tarde.
7. Estiveram a falar de ______ e do meu acidente.
8. Despe o casaco e põe-______ no teu quarto.
9. Comprei-______ estes ténis porque os vossos já estão velhos.
10. Não quero os livros em cima da mesa. Guardem-______ na pasta.

V - Complete com os verbos no imperativo:

A D. Ana está a falar com o Rui:

1. Rui, não __________ a camisola, porque está muito frio. (*despir*)
2. Não __________ nessa cadeira que está partida. (*sentar-se*)
3. Não __________ barulho que os teus irmãos estão a estudar. (*fazer*)
4. Não __________ de pé em cima da cama. (*estar*)
5. Não __________ esse livro que não é para a tua idade. (*ler*)
6. Não __________ a pasta em cima da mesa. (*pôr*)
7. Não __________ o dinheiro que eu te dei. (*perder*)
8. Não __________ tarde para casa. (*vir*)
9. Não __________ a bola para a sala. (*trazer*)
10. Não __________ para a rua que já é quase noite. (*ir*)

VI - Qual a palavra correcta?

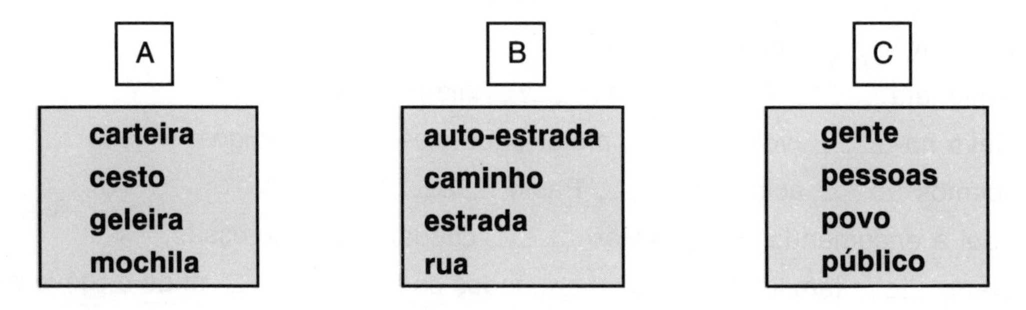

A

1. Guardou as coisas na ______________, pô-la às costas e foi à boleia para o Algarve.
2. Perdi a minha ______________ com o dinheiro e os documentos todos.
3. A Sofia pôs os refrescos e a fruta na ______________ para levar para a praia.
4. O Miguel e o Steve guardaram as toalhas de praia no ______________.

B

1. Para ir para Tomar, o senhor segue sempre por esta ______________.
2. Este autocarro passa pela minha ______________.
3. Por Vila Franca, o ______________ é mais curto.
4. A ______________ Lisboa / Porto já está pronta.

C

1. O Zé Povinho é o símbolo do ______________ português.
2. No Carnaval há muita ______________ nas ruas.
3. Quando há jogos importantes, há sempre muito ______________ a assistir.
4. O Steve gostou de todas as ______________ que conheceu em Portugal.

TESTE

A — GRAMÁTICA

1. ___________ é a sua profissão?

   a) como *b*) de quem *c*) qual *d*) o que

2. —___________ é que vocês vieram?
   — Pela ponte.

   a) onde *b*) por onde *c*) de onde *d*) para onde

3. De quem é ___________ jornal aí?

   a) isto *b*) este *c*) esse *d*) aquele

4. Já não está ___________ no escritório a esta hora.

   a) alguém *b*) algum *c*) nenhum *d*) ninguém

5. Os bolinhos estão na mesa. Comam-___________ enquanto estão quentes.

   a) nos *b*) eles *c*) os *d*) los

6. A Teresa hoje não foi às aulas. Vou telefonar para saber o que é que ___________ aconteceu.

   a) a *b*) ela *c*) lhe *d*) la

7. Porque é que não esperaste ___________? Fui só comprar o jornal.

   a) comigo *b*) por mim *c*) me *d*) eu

8. Gostei imenso desse filme. Foi ___________.

   a) muito bem *b*) maior *c*) melhor *d*) óptimo

9. O castelo e a igreja são do século XII.
   A igreja é ___________ antiga ___________ o castelo.

   a) mais... que *b*) tão... como *c*) tanta... como *d*) menos... que

10. O Miguel é o filho ___________.

    a) mais velho *b*) muito velho *c*) velho *d*) velhíssimo

11. Ele é ___________ Porto, mas vive ___________ Lisboa.

    a) de... na *b*) no... de *c*) do... em *d*) de... em

12. Mando-te a carta ___________ avião ___________ chegar mais depressa.

    a) pela... para *b*) por... a *c*) do... para *d*) por... para

13. — Vais já ___________ casa?
    — Não, vou só ___________ casa almoçar.

    a) para... a *b*) em... para *c*) a... em *d*) a... para

14. ___________ sábado ___________ manhã parto para os Estados Unidos.

    a) ao... de *b*) em... à *c*) no... de *d*) no... da

15. Ele faz anos ___________ 21 ___________ Julho.

    a) em... no *b*) no... de *c*) a... em *d*) a... de

16. O senhor segue __________ esta rua e vira ao fundo __________ direita.
    a) pela... à *b*) por... à *c*) para... a *d*) por... da

17. Não __________ ouvir nada. Importa-se de falar mais alto?
    a) consigo *b*) posso *c*) sei *d*) estou

18. Normalmente o café aqui __________ óptimo, mas hoje não __________ muito bom.
    a) está... é *b*) está... tem *c*) é... está *d*) é... há

19. O Sr. Santos __________ o jornal todas as manhãs.
    a) está a ler *b*) leio *c*) li *d*) lê

20. Ele gostou tanto da região que __________ lá voltar.
    a) há-de *b*) houve *c*) há *d*) hás-de

21. Ontem nós __________ o Jorge no café.
    a) viemos *b*) vimos *c*) vemos *d*) vamos

22. Vocês __________ connosco ao cinema?
    a) vêem *b*) vem *c*) vêm *d*) vimos

23. A D. Ana __________ fora todos os dias. Neste momento __________ no restaurante.
    a) está a almoçar... almoça *b*) almoça... está a almoçar
    c) almoço... está a almoçar *d*) almoça... estou a almoçar

24. __________ os casacos e __________ as pastas no quarto!
    a) despem... põem *b*) dispam... ponham
    c) despiram... puseram *d*) dispa... ponha

25. Já não há fruta. __________ ir comprar mais.
    a) é preciso *b*) vou *c*) estou *d*) tem

26. Não __________ barulho, Rui, que os teus irmãos estão a estudar!
    a) fazes *b*) faz *c*) fizeste *d*) faças

27. Ontem não __________ aulas.
    a) há *b*) houve *c*) temos *d*) ouve

28. Amanhã eles __________ visitar o museu.
    a) têm *b*) estão *c*) vão *d*) são

29. Já passou um ano __________ ele partiu o braço.
    a) quando *b*) desde *c*) enquanto *d*) desde que

30. Eu e __________ pais moramos em Lisboa.
    a) as nossas *b*) as minhas *c*) os meus *d*) o nosso

B — VOCABULÁRIO

1. O Sr. e a Sra. Harris são de Boston. Eles são __________.
   a) americano *b*) americanas *c*) americanos *d*) americana
2. Conheceram um grupo de escoceses e estiveram sempre a falar __________ com eles.
   a) inglês *b*) ingleses *c*) inglesa *d*) inglesas
3. A Madalena dá aulas de português. Ela é __________.
   a) aluna *b*) professora *c*) recepcionista *d*) professor
4. A D. Ana telefonou para __________ de viagens e fez as reservas.
   a) o consultório *b*) o restaurante *c*) o teatro *d*) a agência
5. Pagámos três __________ pelo jantar.
   a) contas *b*) escudos *c*) contos *d*) conto
6. — Está? É de casa da Luísa?
   — Sim, sim. É __________.
   a) a própria *b*) eu *c*) engano *d*) com licença
7. A mãe dele telefonou para o consultório e marcou uma __________ para o Dr. Silva.
   a) chamada *b*) visita *c*) reserva *d*) consulta
8. Quando chegaram ao parque de campismo, foram logo montar a __________.
   a) mochila *b*) tenda *c*) mala *d*) pasta

.9 — Que deseja?
   — Queria uma __________ de escalopes de vitela, por favor.
   a) dose *b*) posta *c*) doze *d*) fatia

10. Põe o chapéu na __________ que o sol está muito quente.
    a) testa *b*) boca *c*) cabeça *d*) mão
11. Não querem vir tomar __________? Está cá um calor!
    a) sol *b*) sombra *c*) mergulho *d*) banho
12. Muitos __________, Teresa. Quantos anos fazes?
    a) parabéns *b*) presentes *c*) cumprimentos *d*) anos
13. O dia 5 de Outubro é __________ nacional.
    a) férias *b*) estação *c*) feriado *d*) época
14. O Rui bebe um __________ de leite ao pequeno-almoço.
    a) chávena *b*) copo *c*) garoto *d*) galão
15. Hoje não está frio. Está um dia __________.
    a) calor *b*) feia *c*) quente *d*) boa

16. — Muito obrigado pela sua ajuda.
— ___________.
a) não faz mal *b*) deixa lá *c*) se faz favor *d*) de nada

17. — Queria abrir uma conta à ordem.
— Faz favor de ___________ este impresso.
a) preencher *b*) passar *c*) escrever *d*) requisitar

18. Dezembro é o último ___________ do ano.
a) data *b*) mês *c*) dia *d*) semana

19. O Porto é uma ___________ portuguesa.
a) região *b*) zona *c*) cidade *d*) país

20. Pode pagar na caixa e depois levanta o embrulho com o ___________.
a) conta *b*) lista *c*) factura *d*) talão

21. — Amanhã já me vou embora.
— ___________! Gostámos tanto de te ter cá.
a) ainda bem *b*) que pena *c*) que bom *d*) óptimo

22. O Steve esteve em Portugal a tirar ___________ de português para estrangeiros.
a) uma aula *b*) uma escola *c*) um curso *d*) uma turma

23. Março é o ___________ mês do ano.
a) treze *b*) três *c*) terça *d*) terceiro

24. São 09:30. A reunião começa às 10:00. Só falta ___________ hora para começar.
a) metade da *b*) metade *c*) meia *d*) um quarto de

25. Ele parte para o Brasil na semana ___________.
a) próxima *b*) que vai *c*) última *d*) que vem

26. Trouxe bolos para o ___________, mas temos de esperar pelo Rui que só vem às 16:00.
a) lanche *b*) almoço *c*) pequeno-almoço *d*) jantar

27. Este ano a família Santos vai ___________ as férias grandes na Madeira.
a) passar *b*) tomar *c*) gastar *d*) reservar

28. Estou cheio de ___________! Não há nada para comer?
a) sono *b*) fome *c*) frio *d*) sede

29. Estou com dores de cabeça. Vou tomar um ___________.
a) hospital *b*) médico *c*) comprimido *d*) doente

30. Essas ___________ ficam-te muito bem, Miguel. São novas?
a) saias *b*) ténis *c*) casacos *d*) calças

Lista de verbos

Presente e pretérito perfeito simples do indicativo

			eu	tu	você ele/ela o sr./a sr.ª	nós	vocês eles/elas os srs./as sr.as
Verbos regulares	fal***ar***	P.I	fal***o***	**-as**	**-a**	**-amos**	**-am**
	beb***er***		beb***o***	**-es**	**-e**	**-emos**	**-em**
	abr***ir***		abr***o***	**-es**	**-e**	**-imos**	**-em**
	-ar	P.P.S	**-ei**	**-aste**	**-ou**	**-ámos**	**-aram**
	-er		**-i**	**-este**	**-eu**	**-emos**	**-eram**
	-ir		**-i**	**-iste**	**-iu**	**-imos**	**-iram**
dar	P.I.		dou	dás	dá	damos	dão
		P.P.S	dei	deste	deu	demos	deram
estar	P.I		estou	está	está	estamos	estão
		P.P.S	estive	estiveste	esteve	estivemos	estiveram
dizer	P.I		digo	dizes	diz	dizemos	dizem
		P.P.S	disse	disseste	disse	dissemos	disseram
fazer	P.I		faço	fazes	faz	fazemos	fazem
		P.P.S	fiz	fizeste	fez	fizemos	fizeram
trazer	P.I		trago	trazes	traz	trazemos	trazem
		P.P.S	trouxe	trouxeste	trouxe	trouxemos	trouxeram
haver	P.I				há		
		P.P.S			houve		
ler	P.I		leio	lês	lê	lemos	lêem
		P.P.S			Regular		
ver	P.I		vejo	vês	vê	vemos	vêem
		P.P.S	vi	viste	viu	vimos	viram
perder	P.I		perco	perdes	perde	perdemos	perdem
		P.P.S			Regular		
poder	P.I		posso	podes	pode	podemos	podem
		P.P.S	pude	pudeste	pôde	pudemos	puderam
querer	P.I		quero	queres	quer	queremos	querem
		P.P.S	quis	quiseste	quis	quisemos	quiseram
saber	P.I		sei	sabes	sabe	sabemos	sabem
		P.P.S	soube	soubeste	soube	soubemos	souberam
ser	P.I		sou	és	é	somos	são
		P.P.S	fui	foste	foi	fomos	foram
ter	P.I		tenho	tens	tem	temos	têm
		P.P.S	tive	tiveste	teve	tivemos	tiveram
vir	P.I		venho	vens	vem	vimos	vêm
		P.P.S	vim	vieste	veio	viemos	vieram
dormir	P.I		durmo	dormes	dorme	dormimos	dormem
		P.P.S			Regular		
ir	P.I		vou	vais	vai	vamos	vão
		P.P.S	fui	foste	foi	fomos	foram
ouvir	P.I		ouço/oiço	ouves	ouve	ouvimos	ouvem
		P.P.S			Regular		
pedir	P.I		peço	pedes	pede	pedimos	pedem
		P.P.S			Regular		
sair	P.I		saio	sais	sai	saímos	saem
		P.P.S	saí	saíste	saiu	saímos	saíram
servir	P.I		sirvo	serves	serve	servimos	servem
		P.P.S			Regular		
subir	P.I		subo	sobes	sobe	subimos	sobem
		P.P.S			Regular		
pôr	P.I		ponho	pões	põe	pomos	põem
		P.P.S	pus	puseste	pôs	pusemos	puseram
haver de	auxiliar		hei-de	hás-de	há-de	havemos de	hão-de

Apêndice 2

Conjugações perifrásticas

Realização prolongada			
estar a + infinitivo			
eu	estou		
tu	estás		comer
você, ele, ela	está	a	escrever
nós	estamos		jogar
vocês, eles, elas	estão		

Futuro próximo		
ir + infinitivo		
eu	vou	
tu	vais	começar
você, ele, ela	vai	partir
nós	vamos	ter
vocês, eles, elas	vão	

Futuro - intenção/convicção		
haver de + infinitivo		
eu	hei-de	
tu	hás-de	fazer
você, ele, ela	há-de	ir
nós	havemos de	saber
vocês, eles, elas	hão-de	

Imperativo (afirmativo) **regulares**

Presente do indicativo		-ar falar
ele **fala**	→	***Fala*** baixo! (informal/singular)
eu **falo**	→	**Fal*e*** baixo! (formal/singular)
		Fal*em* baixo! (informal e formal plural)

Presente do indicativo		-er/-ir comer/abrir
ele **come** ele **abre**	→ →	***Come*** a sopa! ***Abre*** a janela! (informal/singular)
eu **como** eu **abro**	→ →	**Com*a*** a sopa! **Abr*a*** a janela! (formal/singular)
		Com*am* a sopa! **Abr*am*** a janela! (informal e formal plural)

Imperativo (negativo) **regulares**

-ar/falar		*er/-ir* comer/abrir
Não **fales** alto! (informal/singular)	= formal singular + s =	Não **comas** doces! Não **abras** a janela! (informal/singular)
Não **fale** alto! (formal/singular)		Não **coma** doces! Não **abra** a janela! (formal/singular)
Não **falem** alto! (informal e formal plural)		Não **comam** doces! Não **abram** a janela! (informal e formal plural)

- No **imperativo negativo** só é **diferente** a forma usada para o tratamento **informal no singular** (tu). Todas as outras — tratamento formal no singular (você) e tratamento informal e formal no plural (vocês; os senhores; as senhoras) — são iguais na afirmativa ou negativa.

Imperativo/irregulares

	Singular			Plural
	informal		formal	informal e formal
	afirmativo	negativo	afirmativo e negativo	afirmativo e negativo
ser	**sê**	não **sejas**	(não) **seja**	(não) **sejam**
estar	está	não **estejas**	(não) **esteja**	(não) **estejam**
dar	dá	não **dês**	(não) **dê**	(não) **dêem**
ir	vai	não **vás**	(não) **vá**	(não) **vão**

- Usamos as formas do **imperativo** para:

dar ordens → — **Feche** a porta, por favor.
dar conselhos → — **Não fumes** tanto.
dar sugestões → — **Vão** de táxi. É mais rápido.

Apêndice 4

Pronomes pessoais

Sujeito	Complemento				Reflexo
	Indirecto	Directo	Com preposição	Com preposição «com»	
eu	me	me	mim	comigo	me
tu	te	te	ti	contigo	te
você		o, a	si	consigo	
o senhor		o	si (o senhor)	consigo (com o senhor)	
a senhora	lhe	a	si (a senhora)	consigo (com a senhora)	se
ele		o	ele	com ele	
ela		a	ela	com ela	
nós	nos	nos	nós	connosco	nos
vocês			vocês	com vocês	
os senhores	vos	vos	os senhores	convosco	
as senhoras			as senhoras	convosco	se
eles	lhes	os	eles	com eles	
elas		as	elas	com elas	

Alterações sofridas pelas formas de complemento directo **o**, **a**, **os**, **as**:

-~~r~~ } L — Vou comprar**r** as laranjas. ⟶ Vou comprá-**las**.
-~~s~~ } L — Tu lava**s** os morangos. ⟶ Tu lava-**los**.
-~~z~~ } L — Tra**z** o livro amanhã. ⟶ Trá-**lo** amanhã.

-m } N — Faça**m** o trabalho. ⟶ Façam-no.
-ão } N — Eles d**ão** as informações. ⟶ Eles dão-nas.
-õe } N — P**õe** o chapéu. ⟶ Põe-no.

Excepções:

Ele quer o bolo. ⟶ Ele quere-o.

Tu tens a caneta? ⟶ Tu tem-la.

Plural dos substantivos e adjectivos

Terminados em:

- **Vogal** ou **ditongo** (excepto - ão)

mes**a** - mesa**s**	irm**ã** - irmã**s**
cidad**e** - cidade**s**	**pé** - **pés**
táx**i** - táxi**s**	**mãe** - **mães**
livr**o** - livro**s**	**mau** - **maus**
per**u** - peru**s**	**céu** - **céus**

Ditongo - ão

irm**ão** - irm**ãos**/m**ão** - m**ãos**
alem**ão** - alem**ães**/p**ão** - p**ães**
estaç**ão** - estaç**ões**/tost**ão** - tost**ões**

- **Consoante**

- **l**
- **al**: jorn**al** - jorn**ais**
- **el**: hot**el** - hot**éis**/past**el** - past**éis**/possív**el** - possív**eis**
- **il**: difíc**il** - difíc**eis**/fác**il** - fác**eis**
- **ol**: espanh**ol** - espanh**óis**
- **ul**: az**ul** - az**uis**

- **m**

bo**m** - bo**ns**/home**m** - home**ns**/jardi**m** - jardi**ns**

- **r**

co**r** - co**res**/luga**r** - luga**res**/mulhe**r** - mulhe**res**

- **s**

lápi**s** - lápi**s**
paí**s** - paí**ses**/portuguê**s** - portugue**ses**

- **z**

feli**z** - feli**zes**/rapa**z** - rapa**zes**/ve**z** - ve**zes**

APÊNDICE LEXICAL

Esta lista apresenta apenas o vocabulário activo constante nas unidades, isto é, o vocabulário dos ***Diálogos,*** das ***Apresentações,*** das ***Oralidades,*** dos ***Textos*** e das ***Escritas.*** Assim, o vocabulário passivo apresentado nos documentos autênticos, nas ***Áreas gramaticais/Estruturas*** ou no ***Sumário*** não se encontra listado. O vocabulário passivo pode, no entanto, ser utilizado pontualmente, quer nas ***Apresentações***, quer nos execícios orais e escritos. Não figuram ainda quaisquer formas verbais, salvo as usadas como «expressão».

O número indicado à frente das palavras/expressões refere-se à(s) Unidade(s) em que estas aparecem. Quando há mais do que um número para a mesma palavra/expressão o(s) destacado(s) assinala(m) a unidade em que esta foi trabalhada.

VOCABULÁRIO

A

a	1, 4, 5, **6**, 9 **10**, 14
abaixo	13
abraçar	20
Abril	**5**
abrir	**7**, **9**, **13**
absolutamente	13
acabar	6
acampar	19
a acção	17
achar (de)	7
o acidente	13
acolher	20
acontecer	13
acordar	12
os Açores	9
actualmente	11
o adepto	11
adeus	3
admirado	20
o admirador	17
adorar	16
o advogado	1
o aeroporto	10
~ da Portela	20
afinal	17
a agência	10
a agenda	12
agitado	11
agora	4
Agosto	**5**
agradável	15
agradecer	6
os agriões	9
a água	5
aguardar	12
ah!	6
aí	**3**
ainda	**9**
a ajuda	9
ajudar	14
além disso	20
a Alemanha	1
alemão	1
a alface	9
a alfândega	11
o Algarve	2
algum(ns), alguma(s)	8, **9**
alguém	**9**
algarvio	20
ali	**3**
almoçar	5
o almoço	5
alto	7, **8**
a altura	8, 11
alugar	15
o aluno	1
amador	11
amanhã	3
amarelo	**4**
amargo	15
ambas	7
o ambiente	15
americano	1
o amigo	2
o ananás	9
o andar	7
andar	**3**
~ (a)	13
~ (de)	5, 10
~ (em)	3
o andebol	11
animado	15
o aniversário	19
o ano	**5**
anotar	12
anteontem	11
anterior	11
antes (~ de)	7, 9, 17
antigo	7
antipático	15
aonde	8
apanhar	5, 18
a aparelhagem	6
o aparelho	14
o apartamento	3
apenas	11
apetecer	7
aprender	5
apropriado	7
aproveitar	11, 15
aproximadamente	10
aquecer	**5**
aquele(s), aquela(s)	**3**
aqui	**3**
aquilo	**3**
a área	11
a areia	18
o armário	4
o arquitecto	1
arranjar	5, 20
o arranjo	16
a arrecadação	13
o arroz	5
a arrumação	13
arrumar	18
a arte	17
o artigo	13
o artista	17
artístico	17
a árvore	15
assado	5
assíduo	11
assim	8
assinar	12
assistir (a)	11
o assunto	12
até	3, **8**
a atenção	8
atender	**14**
atentamente	7
atirar	**18**
atrás (~ de)	**4**, 11
atrasado	12
o atraso	8
atravessar	**8**
a aula	3
a Austrália	11
a Áustria	1
austríaco	1
a auto-estrada	16
o autocarro	5
a avaria	17
a avenida (Av.)	**8**
~ de Roma	12
~ E.U.A.	8
~ João XXI	8
o avião	10
o avô, a avó, os avós	2
o azar	13
azul	**4**

B

o bacalhau	5
a Baixa	10
baixar	12
baixo (em ~)	7, 12
a banana	9
a banca	9
bancário	12
o banco	4
a bandeira	4
o banho	9, 15
barato	8
o barco	10
a barriga	14
o barulho	7
o basquetebol	11
bastante	7
a batata	5
o batido	6
o bebé	13
beber	**5**
a bebida	6
o beijinho	15
a beleza	20
belga	1
a Bélgica	1
bem	2
bem-vindo	2
o Benfica	11
a biblioteca	9
a bica	6
a bicha	12
a bicicleta	3
o bife	5
o bilhete	10
o Boavista	11
a boca	**13**
o bocadinho	3
o bocado	16
a bola	4
a boleia (à ~)	10
o bolinho	6
o bolo	5
o bolso	12
bom, boa	1, 3, 5, **8**, **11**
bonito	7
a borracha	3
Boston	2
o braço	**13**
branco	**4**
branquinho	9
o Brasil	1
brasileiro	1
brincar	5
buscar (ir ~)	10

C

D

E

EXPRESSÕES

LÉXICO

Português	Alemão	Francês	Inglês
abaixo	unter	là-bas	under
abraçar	umarmen	donner l'accolade	to hug
Abril	der April	avril	April
abrir	aufmachen, (er)öffnen	ouvrir	to open
absolutamente	absolut	absolument	absolutely
acabar	aufhören	terminer	to finish
acampar	zelten	camper	to camp
acção, a	die Handlung	l'action	action
achar	glauben, finden	croire que	to find, think
acidente, o	der Unfall	l'accident	accident
acolher	aufnehmen, beherbergen	accueillir	to welcome
acontecer	geschehen, passieren	se produire	to happen
acordar	aufwachen	se réveiller	to wake up
Açores, os	die Azoren	les Açores	the Azores
actualmente	gegenwärtig	actuellement	nowadays
adepto, o	der Fan, Anhänger	l'adepte, l'amateur	fan
adeus	Auf Wiedersehen!	au revoir	good-bye
admirado	erstaunt, verwundert	étonné	surprised
admirador, o	der Bewunderer	l'admirateur	admirer
adorar	"Sehr toll finden"	adorer	to love
advogado, o	der Rechtsanwalt	l'avocat	lawyer
aeroporto, o	der Flughafen	l'aéroport	airport
Aeroporto da Portela, o	Lissabonner Flughafens	l'aéroport de Lisbonne	Lisbon airport
afinal	also, nun	finalement	in the end
agência, a	die Agentur	l'agence	agency
agenda, a	der Taschenkalender	l'agenda	diary
agitado	unruhig, hektisch	agité	troubled
agora	jetzt	maintenant	now
Agosto	der August	août	August
agradável	angenehn	agréable	pleasant
agradecer	danken	remercier	to thank
agriões, os	die Brunnenkresse	le cresson	water-cress
água, a	das Wasser	l'eau	water
aguardar			
ah!	ah!	ah!	ah!really
aí	da, dort	là	there
ainda	noch	encore	still, yet
ajuda, a	die Hilfe	l'aide	help
ajudar	helfen	aider	to help
além disso	außerdem	en outre	besides
Alemanha, a	Deutschland	l'Allemagne	Germany
alemão	deutsch, Deutscher	allemand	German
alface, a	der Kopfsalat	la laitue	lettuce
alfândega, a	das Zollamt	la douane	Customs
Algarve, o	die Algarve	l'Algarve	the Algarve
algum(ns), alguma(s)	einige	certains,certaines;quelques	some
alguém	jemand	quelqu'un	someone
algarvio	algarvisch	Algarvian	Algarvian
ali	dort	là	there
almoçar	zu Mittag essen	déjeuner	to have lunch
almoço, o	das Mittagessen	le déjeuner	lunch
alto	groß, hoch	haut, grand	high, tall
altura, a	der Zeitpunkt;dieGröße	le moment	right time/moment
alugar	mieten	louer	to rent, hire
aluno, o	der Schüler	l'élève	pupil
amador	der Amateur	amateur	amateur
amanhã	morgen	demain	tomorrow
amarelo	gelb	jaune	yellow
amargo	bitter	amer	bitter
ambas	beide	les deux	both
ambiente, o	die Atmosphäre	l'ambiance	atmosphere
americano	amerikanisch, Amerikaner	américain	American
amigo, o	der Freund	l'ami	friend
ananás, o	die Ananas	l'ananas	pineapple
andar, o	das Stockwerk, die Wohnung	l'appartement	flat, apartment
andar	gehen	aller	to walk
andar (a)	damit beschäftig sein, etwas zu tuna	être en train de	to be doing ...
andar (de)	fahren mit	aller en/à	to go by transport
andar (em)	besuchen(Institution)	fréquenter	to be in, attend

Português	Alemão	Francês	Inglês
andebol, o	der Handball	le hand-ball	handball
animado	lebhaft	animé	lively
aniversário, o	der Geburtstag	l'anniversaire	birthday, anniversary
ano, o	das Jahr	l'année, l'an	year
anotar	aufschreiben, notieren	noter	to note
anteontem	vorgestern	avant-hier	the day before yesterday
anterior	voriger	antérieur	previous, former
antes (antes de)	vorher; (be)vor	avant;plutôt	before
antigo	alt	ancien	old, former
antipático	unsympathisch	antipatique	unpleasant
aonde	wohin	où	where to
apanhar	nehmen	prendre	to catch
aparelhagem, a	die Stereoanlage	l'installation stéréo	stereo
aparelho, o	der Apparat	l'appareil	equipment, machine
apartamento, o	das Appartement	l'apartement	apartment, flat
apenas	nur	seulement	only, just
apetecer	Lust haben auf/zu	avoir envie	to feel like
aprender	lernen	apprendre	to learn
apropriado	geeignet	approprié	suitable, proper
aproveitar	(aus)nutzen	profiter	to take advantage of
aproximadamente	ungefähr	environ	approximately
aquecer	heiß machen	chauffer	to heat
aquele(s), aquela(s)	jene/r/s;dieser/e/s	celui/ceux/celle(s);ce(s)/cet(te)	that, those
aqui	hier	ici	here
aquilo	dieses	cela	that (pron.)
área, a	die Fläche	la zone	area
areia, a	der Sand	le sable	sand
armário, o	der Schrank	l'armoire	cupboard
arquitecto, o	der Architekt	l'architecte	architect
arranjar	zurechtmachen, besorgen	préparer,réparer	to fix
arranjo, o	die Reparatur	la réparation	repair
arrecadação, a	der Abstellraum	le placard	storage, box-room
arroz, o	der Reis	le riz	rice
arrumação, a	das Aufräumen	le rangement	neatness, tidiness
arrumar	aufräumen	ranger	to tidy
arte, a	die Kunst	l'art	art
artigo, o	der Artikel	l'article	article
artista, o	der Künstler	l'artiste	artist
artístico	künstlerisch	artistique	artistic
árvore, a	der Baum	l'arbre	tree
assado	geschmort	rôti	roast
assíduo	eifrig	assidu	assiduous
assim	so	ainsi	so, thus, like this
assinar	unterschreiben	signer	to sign
assistir (a)	dabeisein, besuchen	assister à	to attend
assunto, o	die Angelegenheit	le thème	subject, matter
até	bis	jusqu'à	until
atenção, a	die Aufmerksamkeit	l'attention	attention
atender	ans Telefon gehen	répondre au téléphone	to answer a phone call
atentamente	aufmerksam	avec attention	attentively, carefully
atirar	werfen,schießen	jeter, lancer	to throw
atrás (atrás de)	zurück, hinten; hinter	derrière	behind, back
atrasado	zu spät, verspätet	en retard	late
atraso, o	die Verspätung	le retard	delay
atravessar	überqueren	traverser	to cross
aula, a	die Unterrischtsstunde	le cours,la leçon	class
Austrália, a	Australien	l'Australie	Australia
Aústria a	Österreich	l'Autriche	Austria
austríaco	österreichisch,Österreicher	autrichien	Austrian
auto-estrada, a	die Autobahn	autoroute	motorway
autocarro, o	der Bus	l'autobus	bus
avaria, a	der Defekt	la panne	breakdown
avenida (Av.), a	die Allee	l'avenue	avenue
avião, o	das Flugzeug	l'avion	plane
avô, o	der Großvater	le grand-père	grandfather
avó, a	die Großmutter	la grand-mère	grandmother
avós, os	die Großeltern	les grand-parents	grandparents
azar, o	das Pech	la malchance	bad luck
azul	blau	bleu	blue
bacalhau, o	der Stockfisch	la morue	cod-fish
Baixa, a	Lissabonner Innenstadt	centre ville	city centre
baixar	sinken	baisser	to drop/lower
baixo, em	klein, niedrig; unter	en bas	low, down
banana, a	die Banane	la banane	banana

Português	Alemão	Francês	Inglês
banca, a	der Stand	l'étalage	stall
bancário	Bank....	bancaire	banking officer
banco, o	die Bank	la banque	bank
bandeira, a	die Flagge	le drapeau	flag
banho, o	das Bad	le bain	bath
barato	billig	bon marché	cheap
barco, o	das Schiff, Boot	le bateau	boat, ship
barriga, a	der Bauch	le ventre	stomach, belly
barulho o	der Lärm, Krach	le bruit	noise
basquetebol, o	der Basketball	le basket-ball	basketball
bastante	ziemlich (viel); genug	assez	sufficient, enough
batata, a	die Kartoffel	la pomme de terre	potato
batido, o	das Milchmixgetränk	le milk-shake	milk-shake
bebé, o	das Baby	le bébé	baby
beber	trinken	boire	to drink
bebida, a	das Getränk	la boisson	drink
beijinho o	das Küßchen	le bisou,la bise	kiss
beleza a	die Schönheit	la beauté	beauty
belga	belgisch, Belgier	belge	Belgian
Bélgica, a	Belgien	la Belgique	Belgium
bem	gut (Adv.)	bien	well
Benfica, o	Fußballverein in Lissabon	le club de football de Benfica	Benfica
bem-vindo	willkommen	bienvenu	welcome
biblioteca, a	die Bibliothek	la bibliothèque	library
bica, a	Kaffee (Expresso)	le café noir	Expresso (coffee)
bicha, a	die Schlange, Reihe	la file,la queue	queue
bicicleta, a	das Fahrrad	le vélo	bicycle
bife, o	das Steak	le steak	steak
bilhete, o	die Eintritts-, Fahrkarte	le billet	ticket
Boavista, o	Fußballverein in Porto	le club de football de Boavista	Boavista
boca, a	der Mund	la bouche	mouth
bocadinho, o	ein bißchen	un petit peu	a little bit
bocado, o	das Stück	le morceau,un peu	a bit
bola, a	der Ball	la balle	ball
boleia (à boleia), a	die Mitfahrgelegenheit;trampen	l'auto-stop(en auto-stop)	to hitchhike
bolinho, o	das Kaffeestückchen	le petit gâteau	small cake
bolo, o	der Kuchen	le gâteau	cake
bolso, o	die Tasche (bei Kleidung)	la poche	pocket
bom, boa	gut	bon, bonne	good
bonito	schön	beau	beautiful
borracha, a	der Radiergummi	la gomme	rubber
braço, o	der Arm	le bras	arm
branco	weiß	blanc	white
branquinho	ganz weiß	bien blanc	white
Brasil, o	Brasilien	le Brésil	Brazil
brasileiro	brasilianisch, Brasilianer	brésilien	Brazilian
brincar	spielen(mit Spielzeug), Spaß machen	jouer	to play, joke
buscar (ir buscar)	(ab)holen,suchen	chercher (aller chercher)	to fetch
cá	hier	ici	here
cabeça, a	der Kopf	la tête	head
cabelo, o	das Haar	les cheveux	hair
cacho, o	die(Frucht) Traube	le régime	bunch (fruit)
cada	jede/r/s	chaque	each, every
cadeira, a	der Stuhl	la chaise	chair
caderno, o	das Heft	le cahier	notebook
café, o	der Kaffee	le café	coffee
caixa, a	die Kasse, Schachtel	la boîte,la caisse	box
cair	fallen	tomber	to fall
calças, as	die Hose	le pantalon	trousers
calhar	passen, fallen(Datum)	tomber (à pic)	to fall (on a date)
calmo	ruhig	calme	calm
calor, o	die Hitze	la chaleur	heat
cama, a	das Bett	le lit	bed
caminho, o	der Weg	le chemin	way, path
camioneta, a	der (Überland)Bus	l'autocar	bus
camisa, a	das Hemd	la chemise	shirt
camisola, a	der Pullover	le pull-over	sweater
campeão, o	der Meister	le champion	champion
campo, o	das Land, Gebiet	la campagne,le domaine	field
campo de futebol, o	der Fußballplatz	le terrain de football	football pitch
Canadá, o	Kanada	le Canada	Canada
caneta, a	der Füller	le stylo	pen
cansado	müde	fatigué	tired

Português	Alemão	Francês	Inglês
cansativo	anstrengend	fatigant	tiring
caricatura, a	die Karikatur	la caricature	caricature, cartoon
caricaturado	karikiert	caricaturé	caricaturised
caricaturista, o	der Karikaturist	le caricaturiste	caricaturist
carne, a	das Fleisch	la viande	meat
caro	teuer	cher	expensive
carreira, a	der Weg, die Laufbahn	la ligne à transport	route
carro, o	das Auto	la voiture	car
carta, a	der Brief	la lettre	letter
carteira, a	die Brieftache	le portefeuille	wallet
carvão, o	die Kohle	le charbon	coal
casa, a	das Haus	la maison	house, home
casa de banho, a	das Badezimmer	la salle de bains	bathroom
casaco, o	die Jacke,das Jackett	le manteau,la veste	coat
caso, o	der Fall	le cas	case, event
castanho	braun	marron	brown
castelo, o	die Burg	le château	castle
catorze	vierzehn	quatorze	fourteen
causa (por causa de),a	der Grund;(wegen)	à cause (de)	because of
cavilha, a	der Hering, Zeltnagel	le piquet de tente	bolt pin
cedo	früh	tôt	early
cem	hundert	cent	hundred
cenoura, a	die Mohrrübe	la carotte	carrot
centavo o	1/100 Escudo	1/100 of 1$00	1/100 of 1$00
cento	hundert (ab 101)	cent ...	hundred
centro, o	das Zentrum	le centre	centre
cerâmica, a	die Keramik	la céramique	ceramic
certas	bestimmte	certaines	certain
certeza, a	die Sicherheit	la certitude	certainty
cesto, o	der Korb	le panier	basket
céu, o	der Himmel	le ciel	sky
chá, o	der Tee	le thé	tea
chamada, a	der Anruf, Aufruf	l'appel	call
chamar	(an)rufen	appeler	to call, phone
chamar-se	heißen	s'appeler	to be called
champanhe, o	der Sekt	le champagne	champagne
chão, o	der Fußboden	le sol	floor
chapéu, o	der Hut	le chapeau	hat
chapéu-de-chuva, o	der Regenschirm	le parapluie	umbrella
chapéu-de-sol, o	der Sonnenschirm	le parasol	un-shade
chave, a	der Schlüssel	la clé	key
chávena, a	die Tasse	la tasse	cup
chegar	ankommen, reichen	arriver	to reach, arrive
chegar (a)	ankommen (in)	arriver à	to reach, arrive in/at
cheio	voll	plein	full
cheque, o	der Scheck	le chèque	cheque
chocolate, o	die Schokolade	le chocolat	chocolate
chover	regnen	pleuvoir	to rain
chuva, a	der Regen	la pluie	rain
cidade, a	die Stadt	la ville	city
Ciências, as	die Naturwissenschaften	les Sciences	Sciences
cigarro, o	die Zigarette	la cigarette	cigarette
cima (em cima de)	(auf)hoch	au-dessus de	on
cinema, o	das Kino	le cinéma	cinema
cinco	fünf	cinq	five
cinquenta	fünfzig	cinquante	fifty
cinzento	grau	gris	grey
claro	hell	certainement	of course
claro	klar, natürlich!	clair	light
cliente, o	der Kunde	le client	client
clube, o	der Verein	le club	club
coisa, a	das Ding, die Sache	la chose	thing
coitado	der Arme!	le malheureux	poor thing!
colchão, o	die Matratze	le matelas	mattress
colega, o	der Kollege	le condisciple	colleague
com	mit	avec	with
combinar	(sich) verabreden	donner rendez-vous	to arrange, fix a date/hour
comboio, o	der Zug	le train	train
começar	anfangen	commencer	to begin
comer	essen	manger	to eat
comercial	kaufmännisch	commercial	commercial
cómico	komisch, lustig	comique	funny, comical
comida, a	das Essen	la nourriture	food
comigo	mit mir	avec moi	with me

Português	Alemão	Francês	Inglês
como	wie	comme	like, as, how
companhia, a	die Gesellschat, Begleitung	la compagnie	company
completamente	völlig	complètement	completely
composição, a	der Aufsatz	composition	composition
comprar	kaufen	acheter	to buy
compras, as	die Einkäufe	les achats	shopping
compreender	verstehen	comprendre	to understand
comprido	lang	long	long
comprimido, o	die Tablette	le comprimé	pill
concerto, o	das Konzert	le concert	concert
concordar (com)	einverstanden sein(mit)	être d'accord	to agree with
concurso, o	der Wettewerb, das Quiz	le concours	competition
conduzir	führen, lenken	conduire	to drive
confirmar	bestätigen	confirmer	to confirm
connosco	mit uns	avec nous	with us
conseguir	schaffen, gelingen	réussir	to be able to
considerar	betrachten	considérer	to consider
consigo	mit sich	avec vous	with you (sing.- formal)
consoada, a	Abendessen am Hlg. Abend	le réveillon de Nöel	Christmas supper
construção, a	die Konstruktion	la construction	construction
consulta, a	der (Arzt) Termin	la consultation	appointment, consultation (MD)
consultório, o	die (Arzt) Praxis	le cabinet de consultation	consulting rooms (MD)
conta, a	die Rechnung, das Konto	l'addition	bill
contar	(er)zählen	raconter	to tell
contar (com)	rechnen mit	compter sur	to count on
contemporâneo	zeitgenössisch	contemporain	contemporary
contente	zufrieden	content	pleased
contigo	mit dir	avec toi	with you (sing.-informal)
contos	tausend Escudos	mille Escudos	one thousand escudos
contrário (ao contrário de), o	im (Gegenteil) zu	le contraire (à l'inverse de)	opposite, on the contrary
contudo	jedoch	toutefois	however
convento, o	der Konvent	le couvent	convent
conversa, a	das Gespräch	la conversation	conversation, talk
conversar	sich unterhalten	discuter	to talk
conversar (sobre)	sich unterhalten über	discuter de	to talk about
convidado, o	der Gast	l'invité	guest
convidar	einladen	inviter	to invite
convosco	mit euch/Ihnen	avec vous	with you (plural)
copo, o	das Glas	le verre	glass
cor, a	die Farbe	la couleur	colour
cor-de-laranja	orange	orange	orange (colour)
cor-de-rosa	rosa	rose	pink
corda, a	die Schnur	la corde	string, rope
corpo, o	der Körper	le corps	body
correio, o	die Post	le courrier,la poste	post, mail
correr	laufen, rennen	courir	to run
corrigir	verbessern	corriger	to correct
cortar	schneiden, abbiegen	couper,tourner	to cut
costas, as	der Rücken	le dos	back
costeleta, a	das Kotelett	la côtelette	chop (food)
costumar(a)	(etwas)gewöhnlich tun	avoir l'habitude	to be used to
costume, o	die Gewohnheit, der Brauch	l'habitude	habit
costume de	wie gewöhnlich	d'habitude	as usual
cotação, a	der (Wechsel) Kurs	le cours de bourse	exchange rate
cotovelo, o	der Ellbogen	le coude	elbow
couve, a	der Kohl	le chou	cabbage
cozer	kochen	cuire	to cook
cozido	gekocht	cuit	cooked
cozinha, a	die Küche	la cuisine	kitchen
creditar	gutschreiben	créditer	to credit
criar	schaffen	créer	to create
crítico	kritisch	critique	critical
cuidado!	Vorsicht!	attention!	be careful!
cultural	kulturell	culturel	cultural
cumprimentos	die Grüße	compliments	compliments
curso, o	das Studium, der Kurs	le cours,les études	course
curto	kurz	court	short
custar	kosten, schwer fallen	coûter	to cost
dançar	tanzen	danser	to dance
dar	geben, reichen	donner	to give
data, a	das Datum	la date	date
de	von, aus, mit	de	of, from, by, off
debaixo (debaixo de)	unter(unten)	en dessous	under
debitar	belasten	débiter	to debit, charge

Português	Alemão	Francês	Inglês
decidir	entscheiden	décider	to decide
decidir-se	sich entscheiden	se décider	to make up one's mind
décimo (10º.)	zehnte/r/s	dixième	tenth
décimo primeiro (11º.)	elfter	onzième	eleventh
décimo segundo (12º.)	zwölfter	douzième	twelfth
dedicar-se (a)	sich etwas widmen	se consacrer	to devote oneself to
dedo, o	der Finger	le doigt	finger
deitado	gelegt,liegend	couché	lying down
deitar-se	sich legen	se coucher	to lay down
deixar	lassen	laisser	to let, leave
dele(s), dela(s)	sein(e), ihr(e)	le(s) leur(s); la(les) leur(s)	his, her, hers, their, theirs
delicioso	köstlich	délicieux	delicious
dente, o	der Zahn	la dent	tooth
dentro (dentro de)	drinnen,(in)	dans (d'ici)	inside,in,within
depois (depois de)	danach;(nach)	après	after
depositar	deponieren	déposer	to deposit (banking)
depósito, o	die Einzahlung	le dépôt	deposit
depressa	schnell (Adv.)	vite	quickly
descansar	sich ausruhen	reposer	to relax
descer	hinuntergehen	descendre	to go down
desculpa, a	die Entschuldigung	l'excuse	excuse
desculpe	Entschuldigen Sie!	excusez-moi	sorry
desde (desde que)	seit	depuis (que)	since
desejar	wünschen	désirer	to want, wish
desejoso	begierig	désireux	looking forward
desgraça, a	das Unglück	le malheur	disgrace
despachar-se	sich beeilen	se dépêcher	to hurry
despir	ausziehen	enlever un vêtement	to take off, undress
desporto, o	der Sport	le sport	sport
determinado	bestimmt	déterminé	certain
dever	sollen, müssen	devoir	must/to have to
dez	zehn	dix	ten
dezanove	neunzehn	dix-neuf	nineteen
dezasseis	sechzehn	seize	sixteen
dezassete	siebzehn	dix-sept	seventeen
Dezembro	der Dezember	décembre	December
dezoito	achtzehn	dix-huit	eighteen
dia, o	der Tag	le jour	day
dicionário, o	das Wörterbuch	le dictionnaire	dictionary
diferente	verschieden	différent	different
difícil	schwer, schwierig	difficile	difficult
dificuldade, a	die Schwierigkeit	la difficulté	difficulty
digamos	"Sagen wir mal,.."	disons	let's say
dinheiro, o	das Geld	l'argent	money
direcção (em direcção a), a	die(in) Richtung	la direction, vers	direction (in the direction of / towards)
director, o	der Direktor	le directeur	director, manager
direita (à direita), a	die rechte Seite; rechts	la droite (à droite)	right (on the right)
direito	rechte/r/s	tout droit	right
dirigir-se (a)	sich wenden(an)	se diriger,s'adresser à	to go to
disco, o	die Schallplatte	le disque	record
divertido	lustig	amusant	funny
divertir	unterhalten, vergnügen	amuser	to amuse, entertain
dividir	teilen	partager	to share, divide
dizer	sagen	dire	to say, tell
dizer (de)	sagen über, zu	dire (de)	to say (about)
doce	süß	doux, la confiture	sweet
documento, o	das Dokument,	le document	document
doença, a	die Krankheit	la maladie	illness, disease
doer	weh tun	faire mal	to ache, hurt, be painful
doente	krank	malade	sick, ill
dois	zwei (mask.)	deux	two
dólar, o	der Dollar	le dollar	dollar
domingo, o	der Sonntag	le dimanche	Sunday
Dona (D.), a	höfl., Anredef., Frau	Madame	Miss/Mrs. (courtesy title)
dor, a	der Schmerz	la douleur	pain, ache
dorido	schmerzerfüllt	endolori	painful, aching
dormir	schlafen	dormir	to sleep
dose, a	die Portion	la dose	dose, portion (meal)
Doutor (Dr.), o	Herr Doktor	le Docteur	Doctor
Doutora (Dra.), a	Frau Doktor	le Docteur (fem.)	Doctor
doze	zwölf	douze	twelve
duas	zwei (fem.)	deux	two
durante	während	pendant	during, for

Português	Alemão	Francês	Inglês
duro	hart	dur	hard
dúvida, a	der Zweifel	le doute	doubt
duzentos	zweihundert	deux-cents	two hundred
e	und	et	and
economista, o	der Wirtschaftswissenschaftler	l'economiste	economist
edifício, o	das Gebäude	le bâtiment	building
ele(s), ela(s)	er, sie; sie (pl.)	il, lui;ils, eux;elle;elles	he, she, they
elevador, o	der Fahrstuhl	l'ascenseur	lift, elevator
em	in	dans, sur, en	in, inside, on, at
embora	los!,obwohl	allons-nous-en	let's go
embrulho, o	die Verpackung	le paquet	parcel
ementa, a	die Speisekarte	le menu	menu, list (food)
empregado, o	der Angestellte	l'employé	employee
emprego, o	die Arbeit, Stelle	l'emploi	job
empresa, a	der Betrieb	l'entreprise	company
emprestado	geliehen	emprunté	borrowed
encantado	entzückt, hingerissen	enchanté	delighted, charmed
encarnado	rot	rouge	red
encomenda, a	die Bestellung	la commande,le coli	order, parcel
encontrar	finden	rencontrer, trouver	to find,meet
encontrar-se (com)	sich treffen	rencontrer quelqu'un	to meet someone
endiabrado	unartig	endiablé	naughty, devilish
enfermeiro, o	der Krankenpfleger	l'infirmier	nurse
enfim	endlich	enfin	finally
enganar-se (em)	sich irren	se tromper	to mistake, make a mistake
engano, o	der Irrtum	l'erreur	mistake
engenheiro, o	der Ingenieur	l'ingénieur	engineer
enorme	riesig	énorme	huge
enquanto	während, solange	alors que	while
entanto (no entanto)	(inzwischen),jedoch	pourtant, toutefois	however
então	dann; nun, also	alors	so, then
entardecer (ao entardecer), o	in der Dämmerung	(à) la tombée du jour	at dusk
entrar	eintreten	entrer	to go in
entre	zwischen	entre, parmi	between, among
entregar	abgeben, (ab)liefern	livrer, remettre	to deliver
enviar	schicken	envoyer	to send
eléctrico, o	der Straßenbahn	le tramway	tram
época, a	die Epoche,Saison	l'époque	season
equipa, a	die Mannschaft	l'équipe	team
erro, o	der Fehler	l'erreur	mistake, fault
escadote, o	die Leiter	l'escabeau	ladders
escalope, o	das Schnitzel	l'escalope	cutlet
escocês, o	der Schotte	l'écossais	Scotsman
escola, a	die Schule	l'école	school
escolher	aussuchen	choisir	to choose
escrever	schreiben	écrire	to write
escritor, o	der Schriftsteller	l'écrivain	writer
escritório, o	das Büro	le bureau	office
escudo, o	der Escudo	l'escudo($Portugais)	escudo ($-Portuguese)
escuro	dunkel	sombre	dark
Espanha, a	Spanien	l'Espagne	Spain
espanhol	spanisch, Spanier	espagnol	Spanish
especialmente	besonders	spécialement	specially
espectáculo, o	die Vorstellung	le spectacle	show
espectador, o	der Zuchauer	le spectateur	spectator
espera, a	das Warten	l'attente	wait
esperar	warten	attendre	to wait
esperar por	warten auf	attendre (quelqu'un)	to wait for
esquecer	vergessen	oublier	to forget
esquecer-se de	etwas vergessen	oublier de	to forget
esquerda (à esquerda) a	die linke Seite; links	la gauche;à gauche	left ; on the left
esquerdo	links	gauche	left (adj.)
esse(s), essa(s)	der/dieser da, die/diese da	celui-là;celle(s)-là;ceux-là	that, those
essencialmente	wesentlich	essentiellement	essentially
estação, a	die Jahreszeit	la saison	season (weather)
estacionar	parken	stationner	to park
Estádio Nacional, o	das Nationalstadion	stade national	national stadium
estado, o	der Zustand	l'état	state, condition
Estados Unidos da América, os	die U.S.A.	les Etats-Unis	the U.S.A.
estalagem, a	das Gasthaus	l'auberge	country inn
estar	sein	être	to be
estar a	gerade etwas tun	être en train de	to be + gerund
estar a par de	im Bilde sein über	être au courant de	to be aware/update
este(s), esta(s)	diese(r). der/die hier	celui-ci;celle(s)-ci;ceux-ci	this, these

Português	Alemão	Francês	Inglês
esticar	spannen	tendre	to stretch
estrada, a	die Landstraße	la route	road
estrangeiro, o	das Ausland, Ausländer	l'étranger	foreign
estreia, a	die Uraufführung	la première	to use for the first time première, opening night
estudante, o	der Student	l'étudiant	student
estudar	studieren, lernen	étudier	to study
estudo, o	das Studium	l'étude	study
eu	ich	je,	I
exagero, o	die Übertreibung	l'exagération	exaggeration
exame, o	die Prüfung	l'examen	examination
exemplo(por exemplo), o	das Beispiel(zum Beispiel)	l'exemple;par exemple	(for)example
exercer	ausüben	exercer	to practice
exercício, o	die Übung	l'exercice	exercise
êxito, o	der Erfolg	le succès	success
experimentar	ausprobieren	expérimenter	to try, experiment
exposição, a	die Ausstellung	l'exposition	exhibition
fábrica, a	die Fabrik	l'usine	factory
fácil	leicht	facile	easy
facilidade(com facilidade), a	die(mit) Leichtigkeit	la facilité(facilement)	facility, easiness
factura, a	die Rechnung	la facture	invoice
Faculdade, a	die Fakultät	la Faculté	Faculty
falar	sprechen	parler	to speak
falar com	sprechen mit	parler avec, à	to talk to
falar de	sprechen von	parler de	to talk about
falar sobre	sprechen über	discuter sur	to speak on
faltar	fehlen	manquer	to lack
família, a	die Familie	la famille	family
famoso	berühmt	fameux, connu	famous
farmácia, a	die Apotheke	la pharmacie	chemist's
farto	satt, voll	en avoir assez	bored, fed-up
fatia, a	die Scheibe (Essen)	la tranche	slice
fato de banho, o	der Badeanzug	le maillot de bain	swimming suit
favor, o	der Gefallen	la faveur	favour
fazer	machen	faire	to do, make
febra, a	mag. Schweinefl.	fibre	pork steak
fechar	schließen, zumachen	fermer,	to close
feio	häßlich	laid	ugly
Feira Internacional de Lisboa, a	Int.Messe Lissabon	la Foire Int. de Lisbonne	Lisbon International Fair
feliz	glücklich	heureux	happy
feriado, o	der Feiertag	le jour férié	public holiday
férias, as	die Ferien, der Urlaub	les vacances	holidays
festa, a	das Fest, die Feier	la fête	party
festejar	feiern	fêter	to celebrate
festivo	festlich	de fête	festive
Fevereiro	der Februar	février	February
fiambre, o	der Kochschinken	le jambon	ham
ficar	sich befinden; bleiben; werden	rester, se trouver, être	to stay, remain, be
figura, a	die Figur	la figure, le symbole	figure, shape
filete, o	das Filet	le filet (de poisson)	fillet
filho, o	der Sohn	le fils	son
filme, o	der Film	le film	film
fim, o	das Ende	la fin	end
fim-de-semana, o	das Wochenende	le week-end	weekend
final, a	das Finale	la finale	final (cup - sport)
firma, a	die Firma	la firme, l'entreprise	company, firm
flor, a	die Blume	la fleur	flower
folha, a	das Blatt	la feuille	leaf
fome, a	der Hunger	la faim	hunger
fora (fora de)	draußen; außerhalb	dehors; en dehors de	out; out of
força, a	die Kraft	la force	strength
forno, o	der Backofen	le four	oven
forte	kräftig, stark	fort	strong
fraco	schwach	faible	weak
França, a	Frankreich	la France	France
francês	französisch, Franzose	français	French
franco, o	der Franc	franc	franc
frase, a	der Satz	la phrase	sentence
freguês, o	der Kunde	le client	customer
frente (em frente de), a	die Vorderseite; (gegenüber)	face;en face de	front; in front of
fresco	frisch, kühl	frais	fresh
frigorífico, o	der Kühlschrank	le réfrigérateur	refrigerator
frio	kalt	froid	cold
frio, o	die Kälte	le froid	cold

Português	Alemão	Francês	Inglês
frito	gebraten	frit	fried
fruta, a	das Obst	le(s) fruit(s)	fruit
fumar	rauchen	fumer	to smoke
Fundação Gulbenkian, a	die Gulbenkian-Stiftung	la Fondation Gulbenkian	Gulbenkian Foundation
fundo(ao fundo), o	der Grund;(hinten)	le fond;au fond	bottom; over there
futebol, o	Fußball	le football	football
gabinete, o	das Büro	le bureau	(fitting-)room, office
galão, o	großer Milchkaffee	le verre de café au lait	a glass of white coffee
ganga (calças de)	die Jeans	le jean	denim
garoto, o	kleiner Milchkaffee	la tasse de café au lait	cup of white coffee
gás, o	die Kohlensäure;das Gas	le gaz,les bulles	fiz
gastar	ausgeben, verbrauchen	dépenser	to spend
geleira, a	die Kühltasche	la glacière portative	picnic ice-box
género, o	die Art	le genre, le type	type, kind
gente, a	die Leute	les gens, on	people
geral	allgemein	général	general
gesso, o	der Gips	le plâtre	plaster
ginástica, a	die Gymnastik	la gymnastique	gymnastics
giro	toll, schön, nett	mignon,chouette	nice,cute
gordo	dick	gros	fat
gostar (de)	gern haben; gern+Verb gefallen	aimer	to like
gosto, o	die Freude, der Geschmack	le plaisir	pleasure
graduação, a	der % Gehalt	la graduation	graduation
graduado	alkoholhaltig	le degré d'alcool	level of alcohol (wine)
gráfico	grafisch	graphique	graphic
gramática, a	die Grammatik	la grammaire	grammar
grande	groß	grand, grande	big
Grécia, a	Griechenland	la Grèce	Greece
grelhado	gegrillt	grillé	grilled
gripe, a	die Grippe	la grippe	influenza
grito, o	der Schrei	le cri	shout
grupo, o	die Gruppe	le groupe	group
guardar	aufbewahren, behalten	garder,ranger	to keep
guiar	fahren, lenken	conduire	to drive
há	es gibt; há+Zeit: vor	il y a	there is, are
houve	es gabt	il y a eu	there was, were
haver de	sollen	falloir,devoir	to have to
história, a	die Geschichte	l'histoire	story
hoje	heute	aujourd'hui	today
Holanda, a	Holland	les Pays-Bas	The Netherlands
holandês	holländisch, Holländer	néerlandais	Dutch
hora, a	Uhr, Stunde	l'heure	hour
hospedado	untergebracht	hébergé	lodged
hospital, o	das Krankenhaus	l'hôpital	hospital
hospitalidade, a	die Gastfreundschaft	l'hospitalité	hospitality
hotel, o	das Hotel	l'hôtel	hotel
humano	menschlich	humain	human
idade, a	das Alter	l'âge	age
ideia, a	die Idee	l'idée	idea
igreja, a	die Kirche	l'église	church
ilha, a	die Insel	l'île	island
imaginar	sich vorstellen	imaginer	to imagine
imediatamente	sofort	immédiatement	immediately
imenso	unermässlich	énormément	very much
importante	wichtig	important	important
importar-se (de)	jdm. etwas ausmachen	est-ce-que ça te/vous dérange?	to mind
impressão, a	der Eindruck	l'impression	idea
impresso, o	das Formular	l'imprimé,le formulaire	form
incluído	inklusive	inclus	included
indiano	indisch	Indien	Indian
individual	Einzel...	individuel	individual
infelizmente	leider	malheureusement	unhappily
informação, a	die Auskunft	l'information	information
Inglaterra, a	England	l'Angleterre	England
inglês	englisch, Engländer	anglais	English
Instituto, o	das Institut	l'Institut	Institute
instruções, as	die Gebrauchsanweisung	les instructions	instructions
inteiro	ganz	entier	complete, whole, entire
interessante	interessant	intéressant	interesting
interessar-se (por)	sich interessieren für	s'intéresser à	to show interest
interesse, o	das Interesse	l'intérêt	interest
intérprete, o	der Dolmetscher	l'interprète	translator, interpreter
inventar	erfinden	inventer	make up, invent
Inverno, o	der Winter	l'hiver	Winter

Português	Alemão	Francês	Inglês
ir	gehen, fahren;	aller	to go
irmão, o	der Bruder	le frère	brother
isso	as da	ça,cela	that
isso, por	eshalb	c'est pourquoi	so, that is why
isto	ieses	ceci	this
Itália, a	Italien	l'Italie	Italy
italiano	Italienisch, Italiener	italien	Italian
já	chon	déjà, maintenant	now, already, not anymore
Janeiro	der Januar	janvier	January
janela, a	das Fenster	la fenêtre	window
jantar	zu Abend essen	dîner	to have dinner
jantar, o	das Abendessen	le dîner	dinner
Japão, o	Japan	le Japon	Japan
japonês	japanisch, Japaner	japonais	Japanese
jardim, o	der Garten	le jardin	garden
joelho, o	das Knie	le genou	knee
jogador, o	der Spieler	le joueur	player
jogar	spielen	jouer	to play
jogo, o	das Spiel	le jeu	game, match
jornal, o	die Zeitung	le journal	newspaper
jovem, o	Jugendlicher	le jeune	young man
Julho	der Juli	juillet	July
Junho	der Juni	juin	June
junto (a)	zusammen(bei)	à côté de;près de	nearby, close to
justificar	rechtfertigen	justifier	to justify
lá	da, dort	là	there
lábio, o	die Lippe	la lèvre	lip
lado, o	die Seite	le côté	side
lado, ao	daneben	à côté	next to
ao lado de	neben,bei	à côté de	next to
lanchar	Kaffee trinken (nachmittags)	goûter(l'après-midi)	to have afternoon tea
lanche, o	der Kaffee (Nachmittagsmahlzeit)	le goûter	afternoon snack
lanterna, a	die Taschenlampe	la lampe de poche	flash-light
lápis, o	der Bleistift	le crayon	pencil
laranja, a	die Apfelsine	l'orange	orange
laranjada, a	die Orangenlimonade	l'orangeade	orange juice
largo	breit	large	wide
largo, o	der Platz	la petite place, le square	square, place
lavar	waschen	laver	to wash
lavar-se	sich waschen	se laver	to wash oneself
Limitada (Lda.)	GmbH	S.A.R.L.	Limited (Ltd.)
legenda, a	der Untertitel	le sous-titre	sub-titles
legumes, os	das Gemüse	les légumes	vegetables
leite, o	die Milch	le lait	milk
lembrança, a	das Andenken	le souvenir	gift, present
lembrar-se (de)	sich erinnern	se souvenir de	to remember
ler	lesen	lire	to read
levantar	(Geld)abheben	lever;retirer(de l'argent)	to pick up,to draw (money)
levantar-se	aufstehen	se lever	to get up, rise
levar	mitnehmen, mitbringen	emporter, prendre	to take, carry
leve	leicht (Gewicht)	léger	light
lhe(s)	ihm, ihr, ihnen, Ihnen	lui, leur	to/for him/her/it-them
libra, a	das Pfund (engl. Währungseinheit)	a livre	pound
lição, a	die Lektion	la leçon, le cours	lesson
licença a	die Erlaubnis	le permission,	licence,permit, permission
licença, com	mit Erlaubnis	excusez-moi, pardon	I'm sorry, excuse me
ligar	ein-, anschalten	relier,brancher,allumer	to switch on
ligar para	anrufen	donner un coup de téléphone	to telephone
limpar	saubermachen	nettoyer	to clean
limpinho	ganz sauber	bien propre	clean
lindo	schön	beau	beautiful
língua, a	die Sprache	la langue	language
linguado, o	die Seezunge	la sole	sole (fish)
linguagem, a	die Ausdrucksweise	le langage	language, speech
Lisboa	Lissabon	Lisbonne	Lisbon
lisboeta	Lissabonner	lisboète	Lisboner
lista, a	die Liste	la liste	list
livraria, a	die Buchhandlung	la librairie	book shop
livre	frei	libre	free
livro, o	das Buch	le livre	book
lo(s), la(s)	ihn, sie, es, Sie	le; la; les (masc.);les (fém.)	him, her, it, them
local, o	der Ort, die Stelle	le lieu,les lieux	place, site, premises

Português	Alemão	Francês	Inglês
logo	sofort, nachter	plus tard, tout de suite	later, immediately
loja, a	das Geschäft	le magasin	shop
longe	weit	loin, éloigné	far
longe, ao	von weitem	au loin	in the distance
louro	blond	blond	blond
lugar, o	der Platz	le lieu,l'endroit	place, spot
maçã, a	der Apfel	la pomme	apple
mãe, a	die Mutter	la mère	mother
magro	dünn	maigre,mince	thin
Maio	der Mai	mai	May
maior	größer	plus grand, supérieur	bigger
mais	mehr, lieber	plus	more
mais ... do que	mais + Adjektif: Komparativ	plus ... que	more ... than
mal	schlecht, kaum	mal/à peine	badly
mala, a	die Tasche, der Koffer	la valise, la malle	bag
mandar	schicken, befehlen	envoyer	to send
maneira (como), a	die Art und Weise(wie)	manière, la façon, le style	way
manhã, a	der Morgen	le matin	morning
manhã, de	morgens	pendant la matinée	in the morning
manhãzinha ,(de), a	früh morgens	le matin tôt (tôt le matin)	early morning
manteiga, a	die Butter	le beurre	butter
mão, a	die Hand	la main	hand
máquina fotográfica, a	der Fotoapparat	l'appareil photo	camera
mar, o	das Meer	la mer	sea
maravilha, a	das Wunder	la merveille	marvel, wonder
maravilhoso	wunderschön	merveilleux, fantastique	wonderful
marcar	buchen, reservieren	réserver	to book, reserve
marco o	Deutsche Mark	Mark	mark
Março	der März	mars	March
marido, o	der Ehemann	le mari	husband
marisco, o	Meeresfrüchte	les fruits de mer	shell-fish
martelo, o	der Hammer	le marteau	hammer
mas	aber	mais	but
matar	töten	tuer	to kill
Matemática, a	die Mathematik	les mathématiques	Mathematics
mau	schlecht (Adj.)	mauvais, méchant	bad
me	mir, mich	à moi, me	to/for me
médico, o	der Arzt	le médecin	doctor
médio	mittlere/r/s	moyen	medium
meia, a	die Socke	la chaussette,le bas	sock
meia-noite, a	Mitternacht	minuit	midnight
meio	halb	de moitié	half
meio, o	die Mitte; das Milieu	le milieu, le centre	middle, centre
meio-dia, o	der Mittag	midi	noon, midday
melhor	besser	meilleur, mieux	better
melhorar	besser werden	améliorer	to improve
menino o	der Junge, das Kind	le petit garçon	boy, lad
menos	weniger	moins	less
menos ... do que	weniger als	moins ... que	less ... than
mensalidade, a	die monatliche Gebühr	la mensualité	monthly fee
mercearia, a	kleiner Lebensmittelladen	l'épicerie	grocer's
mergulho, o	das Tauchen	le plongeon	dip, dive
mês, o	der Monat	le mois	month
mesa, a	der Tisch	la table	table
mesmo	gleich; derselbe	même	just
mesmo assim	nichtsdestoweniger, trotzdem	toutefois, quoiqu'il en soit	even so, nevertheless
metade, a	die Hälfte	la moitié	half
metro(m), o	der Meter	le mètre	metre
metro quadrado (m^2), o	der Quadratmeter	le mètre carré	square metre
metropolitano (Metro), o	die U-Bahn	le métro	Underground
meu(s), minha(s)	mein(e)	mon, le(s) mien(s), mes, ma, la(es) mienne(s)	my, mine
mexer	bewegen	bouger	to move, touch
mil	tausend	mille	thousand
milhão, o	die Million	le million	million
mim	mir, mich (bei vorgestellter Präposition)	à moi, de moi, pour moi	to/for/by me
mineral	Mineral...	mineral	mineral
minuto, o	die Minute	la minute	minute
misto	gemischt	mélange	mixture, mixed
miúdo, o	der kleine Junge	le gosse, le gamin	little boy
Moçambique	Mosambik	le Mozambique	Mozambique
mochila, a	der Rucksack	le sac à dos	rucksack
moda, a	die Mode	la mode	fashion

Português	Alemão	Francês	Inglês
modelo, o	das Modell	le modèle	model
moderno	modern	moderne	modern
moeda, a	die Münze	la monnaie,(la pièce)	coin
molhado	naß	mouillé	wet
molho, o	das Bund	la botte	bunch
momento, o	der Moment	le moment	moment
montar	aufbauen	monter (une tente)	to pitch a tent
morada, a	die Anschrift	le domicile, adresse	address
morango, o	die Erdbeere	la fraise	strawberry
morar	wohnen	habiter	to live
moreno	brünett	brun, basané	brunette, dark-skinned
morrer	sterben	mourir	to die
mostrar	zeigen	montrer	to show
mota, a	das Motorrad	la moto	motor bike
mudar-se (para)	umziehen(nach)	déménager	to move
muito(s), muita(s)	viel(e)	beaucoup de, de nombreux(ses)	very, many, much
mulher, a	die Frau	la femme, l'épouse	woman, wife
museu, o	das Museum	le musée	museum
música, a	die Musik	la musique	music
nacional	National...	national	national
nacionalidade, a	die Nationalität	la nationalité	nationality
nada	nichts	rien	nothing
nadar	schwimmen	nager	to swim
não	nein, nicht	non, ne ... pas	no, not
não só ... mas também	nicht nur sondern auch	non seulement ... mais aussi	not only ... but also
nariz, o	die Nase	le nez	nose
nascer	geboren werden	naître	to be born
Natal, o	Weihnachten	Nöel	Christmas
necessário	notwendig	nécessaire	necessary
necessidade, a	die Notwendigkeit	la nécessité	necessity
negócios, os	die Geschäfte	les affaires	business
negócios, em negócios de	geschäftlich	pour affaires	on business
nem	nicht einmal	ni	not even
nenhum(ns), nenhuma(s)	kein(e)	aucun(s) aucune(s)	no, any, none
neto, o	das Enkelkind, der Enkel		
le petit-fils	grandson		
neve, a	der Schnee	la neige	snow
ninguém	niemand	personne	nobody, no one, anybody, any one
no(s), na(s)	ihn, es, sie+praep."in"	sur, dans, le; les; la	him, her, it, them
nódoa negra, a	der blaue Fleck	le bleu	bruise
noite, a	der Abend, die Nacht	la nuit,le soir	night
noite, à	abends	le soir	at night, in the evening
noite, da	nachts	du soir	by night/nocturnal
nome, o	der Name	le nom	name
nono (9º.)	neunte(r)	neuvième	ninth
normalmente	normalerweise	normalement	usually
Norte, o	der Norden	le Nord	north
nos	uns	nous(pronom direct)	to/for us
nós	wir	nous(pronom sujet), à nous	we
nosso(s), nossa(s)	unser(e)	notre, nos, nôtre (masc/fem.)	our, ours
nota, a	der Geldschein	le billet de banque	bill (paper money)
notícia, a	die Nachricht	la nouvelle	news
noticiário, o	die Nachrichten	le journal (radio / télé)	broadcasted news
nove	neun	neuf	nine
novecentos	neunhundert	neuf cents	nine hundred
Novembro	der November	novembre	November
noventa	neunzig	quatre-vingt-dix	ninety
novo	neu, jung	nouveau, jeune	new, young
número (nº.), o	die Nummer	le numéro	number
numerário, o	das Bargeld	argent liquide	cash deposit/payment
nunca	nie	jamais	never
o(s), a(s)	(Art.) der, den, die; ihn, sie	le,les; le, les;la,les;	the; him/her/it; them
o quê?	was?	quoi?	what?
obra, a	das Werk	l'oeuvre	work
obrigado	danke	merci	thankyou
observar	untersuchen	éxaminer	to examine
óculos, os	die Brille	les lunettes	glasses
ocupado	beschäftigt	occupé	busy
ocupar	bedecken, ausfüllen	occuper	to occupy
oitavo (8º.)	achte(r)	huitième	eighth
oitenta	achtzig	quatre-vingt	eighty
oito	acht	huit	eight
oitocentos	achthundert	huit cents	eight hundred

Português	Alemão	Francês	Inglês
Olá!	hallo!	Salut!	hello
olhar	schauen	regarder	to look
olho, o	das Auge	l'oeil	eye
onde (de onde)	wo; woher	où; d'où	where,where from
ontem	gestern	hier	yesterday
onze	elf	onze	eleven
opinião, a	die Meinung	l'opinion	opinion
oportunidade, a	die Gelegenheit	l'occasion	opportunity, chance
óptimo	ausgezeichnet, toll	excellent	fine, great
ora	"hör mal!	bon!	well!
ordem, a	der Befehl	l'ordre	the order
orelha, a	das Ohr	l'oreille	ear
ortopedista, o	der Orthopäde	l'orthopédiste	orthopedist
ou	oder	ou	or
Outono, o	der Herbst	l'automne	autumn
outro(s), outra(s)	andere(r)(s)	l'autre, les autres (masc./fém)	other(s), another
ouvido, o	das Gehör	l'oreille	ear
ouvir	hören	entendre	to hear
Outubro	der Oktober	octobre	October
ovo, o	das Ei	l'oeuf	egg
pacote, o	die Packung	le paquet, le sachet	packet, parcel
padaria, a	die Bäckerei	la boulangerie	baker's
pagar	(be)zahlen	payer	to pay
página, a	die Seite	la page	page
pai, o	der Vater	le père	father
país, o	das Land	le pays	country
paisagem, a	die Landschaft	le paysage	scenery
pão, o	das Brot	le pain	bread
para	nach, für, vor, um zu	pour	to, for, at
parabéns, os	die Glückwünsche	les félicitations	congratulations
paragem, a	die Haltestelle	l'arrêt	bus-stop
parecer	scheinen	sembler	to seem
parede, a	die Wand	le mur	wall
parque, o	der Park	le parc	park
parque de campismo, o	der Campingplatz	le camping	camp-site
parte, a	der Teil	la partie/part	part
parte de, da	von Seite../von Hr..	de la part de	from
particularmente	insbesondere(zer)brechen	principalement	specially, principally
partir	abfahren	partir, quitter, casser	to leave, go, break
partir de, a	von ... an/ab(zeit)	à partir de	as from
Páscoa, a	Ostern	Pâques	Easter
passado	vergangen	passé	past
passaporte, o	der Reisepaß	le passeport	passport
passar	verbringen, vergehen, ausstellen	passer	to spend, pass, go through
passear	spazieren	se promener	to walk
passear, ir	spazierengehen	aller se promener	to go for a walk/ride
passeio, o	der Bürgersteig, Spaziergang	le trottoir	side-walk
pasta, a	die Mappe	le cartable	briefcase, school bag
pastel de nata, o	Vanille-Sahne-pastete	petite pâtisserie à la crème anglaise	custard cake
pastelaria, a	die Konditorei	la pâtisserie	cake shop
pé, o	der Fuß	le pied	foot
pé, a	zu Fuß	à pied	on foot
pé de, ao	ganz nah an, bei	tout près de	beside
pé (estar),de	auf sein	debout	standing
pedagógico	pädagogisch	pédagogique	educational
pedir	bitten	demander	to ask for
pedra, a	der Stein	la pierre	stone
peito, o	die Brust	la poitrine	chest
peixe, o	der Fisch	le poisson	fish
peixeira, a	die Fischverkäuferin	la vendeuse de poisson	fish woman
pena, a	das Leid, die Qual	dommage	pity, shame
pensar (em)	denken (an)	penser à	to think about
pequeno	klein	petit	small
pequeno-almoço, o	das Frühstück	le petit déjeuner	breakfast
pera, a	die Birne	la poire	pear
perceber	verstehen	comprendre	to understand
perder	verlieren	perdre,manquer,rater	to miss
perder-se	sich verlaufen	se perdre	to get lost
perdido	verloren	perdu	lost
pergunta, a	die Frage	la question	question
perguntar	fragen	demander	to ask
perigoso	gefährlich	dangereux	dangerous

Português	Alemão	Francês	Inglês
perna, a	das Bein	la jambe	leg
perto (de)	nah; in der Nähe von	près (de)	near
pesado	schwer (Gewicht)	lourd	heavy, weighty
pesar	wiegen	peser	to weigh
pescada, a	der Schellfisch	le merlan	whiting (fish)
pescoço, o	der Hals	le cou	neck
péssimo	schlechteste(n)	très mauvais	really bad, terrible
pessoa, a	die Person	la personne	person
piada, a	der Witz	la blague	joke
pilha, a	die Batterie	la pile	battery
piloto, o	der Pilot	le pilote	pilot
pior	schlechter	pire	worse, the worst
piscina, a	das Schwimmbad	la piscine	swimming-pool
plano, o	der Plan	le plan	plan
plástico	plastisch	plastique	plastic
poder	können	pouvoir	to be able, can
podia	könnten Sie ...	pourriez-vous	could you? would you?
pois	natürlich, na ja;	oui, bien entendu,en effet	so, of course
pois não	nicht wahr?	n'est-ce pas?	of course
polícia, o	der Polizist	le policier	policeman
político	politisch	politique	political
ponte, a	die Brücke	le pont	bridge
ponto, o	der Punkt	le point	point
ponto, em	um Punkt ... (Uhr)	à l'heure exacte	punctual, exactly on time
pontual	pünktlich	ponctuel, exact	punctual
por	für, durch, über, zu	par, pour	by, for, through
pôr	setzen, stellen, legen	poser. mettre	to put, put on, lay
porco, o	das Schwein	le porc,le cochon	pork (food)
porque	weil,denn	parce que	because
porquê	warum?	pourquoi	why
porta, a	die Tür	la porte	door
portanto	also, folglich	donc	so, then
Porto, o	Porto	la ville de Porto	Oporto
português	portugiesisch, Portugiese	portugais	Portuguese
possível	möglich	possible	possible
posta, a	das Stück (Fisch)	une tranche, un morceau	piece, slice (fish)
postal, o	die Ansichtskarte	la carte postale	post-card
pouco(s), pouca(s)	wenig(e)	peu, un peu, quelque(s)	few, little
povo, o	das Volk	le peuple	people
praça, a	der Markt, der Platz	le marché,la place	square, market
Praça de Touros, a	Stierkampfarena	les arènes	bull-ring
praia, a	der Strand	la plage	beach
praticamente	praktisch, fast	pratiquement	almost
praticar	treiben, praktizieren	pratiquer	to practise
prático	praktisch	pratique	practical
prazer, o	das Vergnügen	le plaisir	pleasure
prazo, o	die Frist	le terme,le délai	deadline
precisar (de)	brauchen, müssen	avoir besoin de	to need
preciso, (ser)	nötigsein	falloir,être nécessaire	to be necessary
preço, o	der Preis	le prix	price
prédio, o	das Gebäude	l'immeuble	building
preencher	ausfüllen	remplir	to fill in
preferência, a	die Vorliebe	la préférence	preference
preferência, de	vorzugsweise	de préférence	preferably
preferido	Lieblings...	préféré	favourite
preferir	vorziehen	préférer	to prefer
preferível	besser	préférable	preferable
prenda, a	das Geschenk	le cadeau	gift, present
preparar	vorbereiten	préparer	to prepare
presente, o	das Geschenk	le cadeau	gift, present
preso	fest	attaché	fixed
presunto, o	der Schinken	le jambon cru	smoked ham
pretender	beabsichtigen	avoir l'intention de	to intend, wish, want
preto	schwarz	noir	black
previsto	vorgesehen	prévu	foreseen
Primavera, a	der Frühling	le printemps	Spring
primeiro (1º.)	(erste(r)), zuerst	le premier	first
primo, o	der Cousin, Vetter	le cousin	cousin
principal	Haupt..	principal	principal, main
principalmente	hauptsächlich	principalement	principally, mainly
problema, o	das Problem	le problème	problem
processo, o	der Prozeß, die Akte	le dossier	file
professor, o	der Lehrer	le professeur	teacher
profissão, a	der Beruf	la profession	profession
programa, o	das Programm	le programme	programme

Português	Alemão	Francês	Inglês
prolongado	verlängert	prolongé	extended
pronto (pronto!)	fertig, (fertig!)	prêt,(voilà!)	ready, right
próprio, o	selbst	c'est lui-même	speaking (phone talk)
prova, a	die Anprobe	l'essai (d'un vêtement)	clothes-fitting
provar	probieren	goûter	to taste
próximo	nächste(r)	prochain	next
público, o	das Publikum	le public	public, audience
pulseira, a	das Armband	le bracelet	bracelet
puré, o	das Püree	la purée	puree, mashed
puxar	ziehen	tirer	to pull
quadrado, o	das Quadrat	le carré	square
quadrados, aos	kariert	à carreaux	checked
quadro, o	die Tafel	le tableau	blackboard, painting,
qual, quais	welche(r)(s)	quel(le)(s)	which
quando	wann, wenn, als	quand	when
quantia, a	der Betrag	le montant	amount
quanto(s)	wieviel, wie viele	combien (masc.)	how much, how many
quarenta	vierzig	quarante	forty
quarta-feira	der Mittwoch	mercredi	Wednesday
quarto, o	das Zimmer	la chambre	bed-room, room
quarto (4º.)	vierte(r)	le quatrième	fourth
quarto de hora, o	die Viertelstunde	le quart d'heure	quarter (hour)
quase	fast	presque	almost
quatro	vier	quatre	four
quatrocentos	vierhundert	quatre cents	four hundred
que (de que; o que)	was; (Relativpron.: der,die,das; daß)	que, qui; dont;ce que	that, which; what
Que tal?	Wie hates geklappt?	qu'en pensez-vous?	How about it?
queijadinha, a	kleiner Käsekuchen	petite tarte au fromage	small cheese-cake
queijo, o	der Käse	le fromage	cheese
queimado	braun gebrannt	bronzé	sun-tan
queixo, o	das Kinn	le menton	chin
quem (a quem; de quem)	wer,(wen; wem; wessen)	qui;à qui; de qui	who, whom; to/for whom; whose
quente	heiß	chaud	hot
queque, o	kloiner Sandkuchen	petit cake	small butter cake
quer ... quer	sowohl ... als auch	soit ... soit;tant...que	either, or
querer	wollen	vouloir	to wish, want
queria	möchte (ich, er, sie, Sie)	je voudrais	would like
querido	liebe(r)	cher	dear
quilo(grama) Kg, o	das Kilogramm	le kilogramme	kilogram
quinhentos	fünfhundert	cinq cents	five hundred
quinta-feira	der Donnerstag	jeudi	Thursday
quinto (5º.)	fünfte(r)	le cinquième	fifth
quinze	fünfzehn	quinze	fifteen
ramo, o	der Strauß	le bouquet (de fleurs)	bunch (flowers)
rapariga, a	das Mädchen	la fille	girl
rapaz, o	der Junge	le garçon	boy
raqueta, a	der Schläger	la raquette	racket
raramente	selten	rarement	rarely
razão, a	der Grund, die Vernunft;	la raison	reason
razão, ter	Recht haben	avoir raison	to be right
realmente	wirklich	franchement	frankly
recado, o	die Nachricht	le message (laisser un message)	message
receber	bekommen	recevoir	to receive
recepcionista, o	der Empfangschef	le réceptionniste	receptionist
recordar	(sich) erinnern	se rappeler	to remember
refeição, a	die Mahlzeit	le repas	meal
refresco, o	das Erfrischungsgetränk	le rafraîchissement	cold drink
região, a	die Gegend, das Gebiet	la région	region
regressar	zurückkehren	retourner,revenir	to return, come back
regresso, o	die Rückkehr	le retour	return
régua. a	das Lineal	la règle [l'instrument]	ruler
relatório, o	der Bericht	le rapport	report
relva, a	der Rasen	le gazon	grass
representação, a	die Aufführung	la représentation	show, performance
representar	aufführen, darstellen	représenter	to perform, act, represent
requisitar	anfordern, bestellen	demander(domaine bancaire)	to make a requisition for
reserva, a	die Reservierung	la réservation	reservation, booking
resolver	lösen	résoudre,décider	to decide, work out
responder	antworten	répondre	to answer
restaurante, o	das Restaurant	le restaurant	restaurant
resto, o	der Res	le reste	rest
retribuir	erwidern, vergüten	retourner (des compliments)	to return (compliments)
reunião, a	die Besprechung	la réunion	meeting

Português	Alemão	Francês	Inglês
reunir	zusammenbringen	réunir	to bring together, assemble
reunir-se	sich versammeln	se réunir	to get together
rever	wiedersehen	revoir	to see again
revista, a	die Zeitschrift	la revue	magazine
Revista à Portuguesa, a	die Revue (Portugiesiche)	la Revue portugaise	Portuguese revue
rigoroso	hart, streng	rigoureux	rigorous
rio, o	der Fluß	la rivière, le fleuve	river
rir-se	lachen	rire	to laugh
risca, a	der Streifen	la rayure	line, stripe
riscas, às	gestreift	à rayures	stripped
rissol, o	gefüllte Teigtasche	une rissole	rissol
ritmo, o	der Rhythmus	le rythme	rhythm, passe of life
rocha, a	der Felsen	le rocher	rock
rodeado (por)	umgeben von	entouré de	surrounded by
romance, o	der Roman	le roman	novel
roupa, a	die Kleidung	les vêtements	clothes
rua, a	die Straße (Stadt)	la rue	street, road
Rússia	Rubland	Russie	Russia
russo	russisch, Russe	russe	Russian
sábado, o	der Samstag	samedi	Saturday
saber	wissen,können	savoir	to know
saber de	wissen von, über	prendre connaissance de	to know of
saco, o	die Tüte	le sac	bag, sack
saco-cama, o	der Schlafsack	le sac de couchage	sleeping-bag
saia, a	der Rock	la jupe	skirt
saída, a	der Ausgang	la sortie	exit
sair	weg-, ausgehen, herauskommen	sortir	to go out
sala, a	das Zimmer, der Raum	la salle	room
sala de aula, a	der Klassenraum	la salle de classe	class-room
sala de estar, a	das Wohnzimmer	le séjour (pièce)	living-room
sala de embarque, a	die Wartehalle	la salle d'embarquement	departure lounge
salada, a	der Salat	la salade	salad
saldo, o	der Kontostand	le solde (domaine bancaire)	bank balance
sandes, a	der Sandwich	le sandwich	sandwich
sangue, o	das Blut	le sang	blood
sapato, o	der Schuh	la chaussure	shoe
sátira, a	die Satire	la satire	satire
saudades, as	die Sehnsucht	le mal du pays/me manque	homesickness
se	sich; wenn, ob	se (pronom réflexif); si	reflexive pronoun;if;
secção, a	die Abteilung	le service	department (shop/store)
secretária, a	die Sekretärin,der Schreibtisch	la (le) secrétaire;le bureau	secretary; desk
século, o	das Jahrhundert	le siècle	century
sede, a	der Durst	la soif	thirst
seguida, em	danach, darauf	ensuite	next, afterwards
seguinte	folgende(r)	suivant(e)	next, following
seguir	folgen	suivre	to follow
segunda-feira, a	der Montag	lundi	Monday
segundo (2º.)	zweite(r)	le second, le deuxième	second
seis	sechs	six	six
seiscentos	sechshundert	six cents	six hundred
selo, o	die Briefmarke	le timbre	stamp
sem	ohne	sans	without
semana, a	die Woche	la semaine	week
sempre	immer	toujours	always
sempre que	immer wenn	toutes les fois que	whenever
Senhor (Sr.), o	Herr, Sie (Anrede)	Monsieur(M.)	you, mister (Mr.)
Senhora (Sra.), a	Frau, Sie, die Dame	Madame(Mme)	you, madam, (Mrs.)
sentado (estar)	sitzen	assis, être assis	sitting
sentar-se	sich setzen	s'asseoir	to sit down
sentir-se	sich fühlen	se sentir	to feel
ser	sein	être	to be
ser de	gehören	être (originaire) de	to be from
ser em	sein in	être à (lieu défini)	to be in
sério, a	ernsthaft; im Ernst	au sérieux	really, seriously
serra, a	das Gebirge	les montagnes	ridge of mountains
serviço, o	der (die) Dienst(stelle)	le service	service
servir-se (de)	sich bedienen (von)	se servir de	to help yourself
sessenta	sechzig	soixante	sixty
sete	sieben	sept	seven
Setembro	der September	septembre	September
setenta	siebzig	soixante-dix	seventy
sétimo (7º.)	siebte(r)	septième	seventh
seu(s), sua(s)	sein(e), ihr(e), Ihr(e)	son, ses, leurs(s); sa, ses, leur(s)	your (2nd person)

Português	Alemão	Francês	Inglês
sexta-feira, a	der Freitag	vendredi	Friday
sexto (6º.)	sechste(r)	sixième	sixth
si	sich, Sie, Ihnen(bei vorgest. Präposition)	à/pour vous (sing.)	to/for/by/at you (sing.)
sim	ja	oui	yes
símbolo, o	das Symbol	le symbole	symbol
simpático	sympathisch, nett	sympathique	nice, kind, friendly
simples	einfach	simple(s)	simple, plain
sítio, o	der Ort	le lieu,l'endroit	place
situação, a	die Situation	la situation	situation
só	nur	seul(e), seulement	only
sobre	über	sur, à propos de	about
social	sozial	social(e)	social
sociedade, a	die Gesellschaft	la société	society
sol, o	die Sonne	le soleil	sun
sombra, a	der Schatten	l'ombre	shade
sono, o	der Schlaf	le sommeil	sleep
sozinho	allein	seul	alone
suave	mild	doux, suave	mild
subir	steigen, hinaufgehen	monter	to go up
Suécia, a	Schweden	la Suède	Sweden
sueco	schwedisch, Schwede	suédois	Swedish
Suíça, a	die Schweiz	la Suisse	Switzerland
suíço	schweizerisch, Schweizer	suisse	Swiss
sujo	dreckig	sale	dirty
sumo, o	der Saft	le jus	juice
supermercado, o	der Supermarkt	le supermarché	supermarket
taça, a	der Pokal	la coupe (en sport)	cup
Tailândia, a	Thailand	la Thailande	Thailand
talão, o	der Kassenzettel	le talon (d'une feuille)	bill, check
talho, o	die Fleischerei	la boucherie	butcher's
tamanho, o	die Größe	la taille	size
também	auch	aussi	also, too
tanto(s), tanta(s)	so sehr, so viele	beaucoup de	so much, many, more
tão	so + Adj., so sehr	tellement, si, comme	so, as
tão ... como	so + Adj. .... wie	aussi ... que	as ... as
TAP-Air Portugal	die Port. Flggsschaft.	la TAP (Air Portugal)	TAP (Air Portugal)
tarde	spät	tard	late
tarde, a	der Nachmittag, Abend; nachmittags, abends	l'après-midi	afternoon
tardinha, a	der späte Nachmittag	la fin d'après-midi	in the afternoon
tardinha, à	am späten Nachmittag	en fin d'après-midi	p.m.; late afternoon
táxi, o	das Taxi	le taxi	taxi
te	dir, dich	te	for/to you (sing.)
teatro, o	das Theater	le théâtre	theatre
telefonar (a) (para)	anrufen	téléphoner (à); appeler	to telephone, call (people)
telefone, o	das Telefon	le téléphone	telephone
televisão, a	das Fernsehen	la télévision	television
temperatura, a	die Temperatur	la température	temperature
tempo, o	das Wetter, die Zeit	le temps	time; weather
tencionar	beabsichtigen	avoir l'intention	to intend, plan
tenda, a	das Zelt	la tente	tent
ténis, o	Tennis	le tennis	tennis
ténis, os	die Turnschuhe	les chaussures de tennis	tennis shoes
tenro	zart	tendre	tender
tentar	versuchen	essayer	to try
ter	haben	avoir	to have
ter de	müssen	devoir	to have to
terça-feira, a	der Dienstag	mardi	Tuesday
terceiro (3º.)	dritte(r)	le troisième	third
testa, a	die Stirn	le front	forehead
teste, o	der Test	le test, l'examen	test
teu(s), tua(s)	dein(e)	ton;le(a)(s) tien(ne)(nes);ta	your, yours
texto, o	der Text	le texte	text
ti	dir, dich (bei vorgestellter Präposition)	toi, te	to/for/by/at you
tio, o	der Onkel	l'oncle	uncle
tipo, o	der Typ, die Art	le type	type, kind
tirar	herausnehmen	retirer,enlever	to take off
toalha, a	das Handtuch	la serviette	towel
todo(s), toda(s)	ganz, alle	tout, tous,toute, toutes	all
tom, o	der Farbton	le ton	shade, colour, tone
tomar	nehmen	prendre	to take, have (meals),
tomate, o	die Tomate	la tomate	tomato
torrada, a	Toast mit Butter	la tranche de pain grillé	toast

Português	Alemão	Francês	Inglês
tostão, o	der 10. Teil eines Escudos	le sou	1/10 of 1$00
total, o	die Summe	le total	total
trabalhar	arbeiten	travailler	to work
trabalho, o	die Arbeit	le travail	work
tradutor, o	der Übersetzer	le traducteur	translator
transeunte, o	der Passant	le passant	passer-by
transporte, o	der Transport	le transport	transport
tratar (de)	sich kümmern um	s'occuper (de)	to deal with, take care
trazer	(her)bringen, mitbringen	apporter	to bring
treino, o	das Training	l'entraînement	train
três	drei	trois	three
treze	dreizehn	treize	thirteen
trezentos	dreihundert	trois cents	three hundred
trinta	dreißig	trente	thirty
triste	traurig	triste	sad
trocar	(aus)tauschen, wechseln	échanger	to exchange (banking)
troco, o	das Wechselgeld	la monnaie, l'appoint	change
tu	du	tu	you
tudo	alles	tout	everything, all
turma, a	die Klasse	la classe	class
último	letzte(r)	dernier	last
último, por	zuletzt	en dernier	finally
um, uma	ein, eine	un; une	one (masc./fem.)
Universidade, a	die Universität	l'université	University
uns	einige	quelques	some
útil	nützlich	utile	useful
utilizar	gebrauchen, nutzen	utiliser	to use
uva, a	die Weintraube	le raisin	grape
vale, o	die Postanweisung	un mandat	postal order
valer	wert sein	valoir	to be worth
valores, os	Schecks und Postanweisungen	les valeurs, dépôts bancaires	money deposits
variado	verschieden (artig)	varié	varied
vários	verschiedene	plusieurs	several
velho	alt	vieux, usagé	old
vendedor, o	der Verkäufer	le vendeur	salesman
vento, o	der Wind	le vent	wind
ver	sehen	voir	to see
Verão, o	der Sommer	l'été	Summer
verdade, a	die Wahrheit	la vérité	truth
verde	grün	vert(e)	green
verificar	überprüfen, feststellen	vérifier, contrôler	to check
vermelho	rot	rouge	red
vespertino, o	die Abendzeitung	journal du soir	evening newspaper
vestido	gekleidet	habillé	dressed
vestido, o	das Kleid	la robe	dress
vestir	anziehen	habiller	to put on, wear
vestir-se	sich anziehen	s'habiller	to get dressed
vez, a	das Mal	la fois, le tour	turn
vezes, às	manchmal	parfois	sometimes
viajar	reisen	voyager	to travel
viagem, a	die Reise	le voyage	journey, trip
vida, a	das Leben	la vie	life
vídeo, o	der Videorekorder	la vidéo, le magnétoscope	video
vidro, o	das Glas,-Scheibe	la vitre	glass
vigésimo (20º.)	zwanzigste(r)	vingtième	twentieth
vila, a	die Kleinstadt	la petite ville	village, town
vinho, o	der Wein	le vin	wine
vinte	zwanzig	vingt	twenty
vir	kommen	venir	to come
virar	abbiegen, sich wenden	tourner	to turn
visita, a	der Besuch, die Besichtigung	la visite	visit
visitar	besuchen	visiter, rendre visite	to visit
vitela, a	das Kalbfleisch	le veau	veal (meat)
viver	leben	vivre	to live
você	Sie, ihr (2. Pers. Pl.)	vous (vouvoiement)	you (3rd person)
volta, dar uma	der kurze Ausflug	faire un tour	to go for a walk
volta de, por	gegen(Zeit,Menge)	vers (une certaine heure)	around
voltar	zurückkommen	revenir, retourner	to return, come back
vontade, a	der Wille, Wunsch, die Lust	l'envie (avoir envie)	will, wish, desire
voo, o	der Flug	le vol	flight
vos	euch, Ihnen	vous	to/for you (3rd person)
vosso(s), vossa(s)	euer, eure, Ihr(e)	votre, le vôtre; votre, la vôtre	your, yours (plural)
zás!	klatsch!	patatras!!	bang! crash!
Zé Povinho, o	Otto Normalverbraucher	M. Tout le Monde (portugais)	symbol of the Portuguese people
zona, a	die Gegend, Zone	la zone	area, place

Dep. Legal n.º 128770/98